Y0-BSL-791

Михаил:

Первая девушка на моей памяти, которая реально понимает, что происходит в наших, мужских головах, и не несет околесицу из серии «чулки-борщ-минет». Не все, что она «сдает», приятно слышать, но правда о себе ведь мало кому нравится.

Инга:

Я нашла ее блог, когда столкнулась с изменой мужа. Прочла описание, подумала: «Вот наглая девица», но когда начала читать материалы, поняла, что останусь в рядах постоянных подписчиков. Ее прямота хорошо прочищает мозг и помогает посмотреть на ситуацию трезвым взглядом.

Марина:

Вообще, я психолог и начала читать Нику из профессионального интереса. Было любопытно, как обыватель сможет раскрыть тему, в которой и мы, профессионалы, иногда «тонем». Либо она обладает сверхэмпатией, либо скрывает психологическое образование, ибо все, о чем Ника рассказывает, имеет место быть и выглядит именно так.

Валентина:

Меня ее блог в буквальном смысле «собрал по частям». Много лет я была любовницей, терпела такое, что сейчас и вспоминать странно. Шаг за шагом, статья за статьей, я поднимала голову и училась смотреть на эту ситуацию и на себя по-другому. В итоге я ушла из этих отношений, занялась своим моральным состоянием и смогла начать новую главу в жизни.

Анна:

У Ники есть одна очень важная особенность. Она просто говорит о сложных вещах. И говорит так, что в сознании сразу случается какой-то переворот. И ты смотришь на какие-то вещи в своих отношениях и понимаешь, что, боже ж мой, зачем вообще все это, ведь вот как все легко.

Света:

Я начала ее читать, потому что истории про женскую энергетику и какие-то дикие мантры для заговаривания еды на семейное счастье, обступившие нас со всех сторон, прямо скажем, осточертели. А тут — трезвый взгляд и в правильном смысле эгоистичный подход к отношениям. Ника — это про тебя. Не про то, как заставить кого-то делать тебя счастливой, а про то, как научиться жить с самой собой.

#Psychology#KnowHow

Ника НАБОКОВА

# #В ПОСТЕЛИ С ТВОИМ МУЖЕМ

## записки любовницы

ЖЕНАМ ЧИТАТЬ ОБЯЗАТЕЛЬНО!

Издательство
АСТ
Москва

УДК 159.922.1
ББК 88.5
Н14



**Набокова, Ника.**

Н14 #В постели с твоим мужем. Записки любовницы. Женам читать обязательно! / Ника Набокова. — Москва : Издательство АСТ, 2018. — 286,[1] с. — (#Psychology#Know-How).

ISBN 978-5-17-100221-3

Ника Набокова — провокационная и откровенная, красивая молодая женщина с мозгами, которым может позавидовать любой успешный мужчина. В ее блоге более 300 тысяч читателей. Почти 8000 человек, обратившихся за помощью и советом. Десятки тысяч благодарностей от тех, кому ее статьи помогли выжить в сложных отношениях.

«Да, я любовница! И именно поэтому я знаю все о том, почему, из-за чего, ради чего и для чего люди изменяют.

Эту правду вам не расскажут в глянцевых журналах и на популярных ток-шоу.

Добро пожаловать в мой мир, где я расскажу все об изнанке неверности. Какого черта его туда понесло, чего ждать дальше и что с этим всем делать? Меня можно ненавидеть, обвинять в разрушении чьей-то семьи, бояться и пытаться отрицать факт моего существования. Но это не отменяет главного — я знаю, как выжить в любовном треугольнике».

Никакой женской логики, стенаний и «ой, все». Бьющие под дых формулировки, глубинное знание человеческой психики и отношений, эффективные и на 100% работающие методики — Ника расшатает ваши устои и выведет из зоны комфорта. Будьте готовы!

Макет подготовлен редакцией

ISBN 978-5-17-100221-3

# ОГЛАВЛЕНИЕ

# БЛАГОДАРНОСТИ

Слово «спасибо» никогда не сможет до конца передать мою преданность людям, благодаря которым я смогла однажды подняться, пойти и дойти до целой книги.

**Саша Киреев**, мы вместе придумали это название, и все это время ты, твои советы и, что самое приятное, похвала помогают мне не улечься лапками вверх.

**Чу**, мой друг, мое близкое, чудлимое, замечательное существо. Ты сделал столько, что и десяти книг не хватит, чтобы расплатиться с тобой за это.

**Жирафик**, больше чем подруга. Сестра, половинка, что там еще бывает. Спасибо, что с тобой я могу быть не Никой, а глупым Слоником.

**Бур**, моя яркая, удивительная девочка. Ты энергия, ты защита, ты поддержка. Наши с тобой приключения я буду вспоминать на смертном одре.

**Катя Александрова**, твой вклад в эту книгу огромен. Спасибо тебе за консультации, спасибо за совместную работу, за то, что делилась знаниями и опытом.

**Женя Фарафонов**, моя гармония и вера в себя — твоих рук дело.

**Эрик и Саня**, то, что вы у меня есть — чудо из чудес. Просто будьте дальше.

**Пу!** Спасибо за мудрость, поддержку и твой талант. Мой лучший дизайнер и прекрасный друг.

**Родной**, спасибо за тебя, за нас, за все, что было и есть, за вдохновение. Лю.

# ГЛАВА 1

# КТО Я ТАКАЯ

Таким, как я, оборачиваются вслед и тихо перешептываются за спиной. В приличном обществе, как правило, улыбаются, но стоит отойти — поджимают губы и многозначительно кивают. Что странно, ведь если бы я жила веке так в 18-м, мой социальный статус носил бы гордое название «фаворитка короля». Включая все привилегии в виде реверансов, фрейлин, бриллиантов и увлекательных интриг. В наше же время высоких технологий, полетов в космос и секшл-революшн все гораздо прозаичнее.

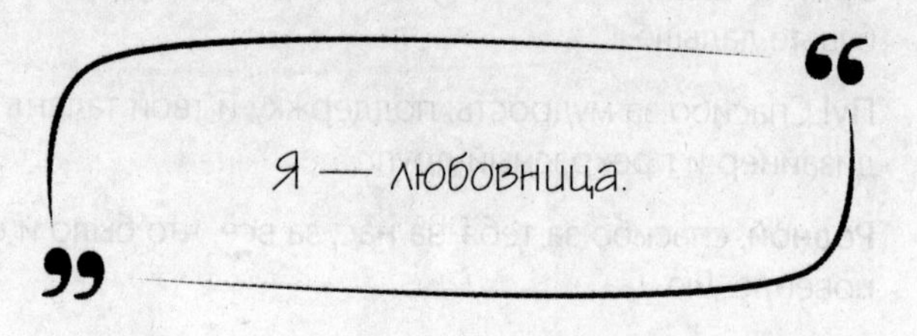

Я — любовница.

Честно говоря, всю жизнь я не особенно мечтала об этом статусе и, прямо скажем, к нему старательно не готовилась.

У меня были несколько другие цели и планы, в которые категорически не вписывались запутавшийся в собственных метаниях мужчина, его жена и дети. Более того, любовниц-то я всегда осуждала и даже презирала — как это гордости вообще у бабы нет, с чужим-то мужиком путаться.

Но случилось так, что к 30 годам, будучи уже умной, довольно опытной и даже в каких-то вопросах мудрой женщиной с браком за плечами, я вдруг нашла себя посреди чужой семьи.

**Ну как посреди. Собственно, с краю.**

Подозреваю, что барышень, принадлежащих к отряду жен, уже начало мутить, и руки сами тянутся выбросить книгу со словами из серии «сучки крашеной», «кирзовыми сапогами в чужую семью», «будут проблемы с яичниками».

> *Спокойно, дамы, мне есть что рассказать и вам. И да, я буду учить вас жизни. Хоть вы и считаете, что мое дело — сидеть и сосать.*

Вообще, если проанализировать, «карма любовницы» преследовала меня с первого класса школы. Тогда подлый Гришка дурил голову мне и Алене с третьей парты. Я его, кстати, честно любила класса до пятого. И даже требовала у мамы прикручивать мне накладную косу, так как казанова наш питал слабость к длинноволосым девочкам.

Потом был Игореша. Мы с ним дружили. Он встречался с Дашей. А я была в него тайно влюблена. Но скрывала и дружила. Целых три класса. После окончания школы мы с ним переспали, и я перестала отвечать на звонки. Звонил он еще три года. Дашу, кстати, бросил.

**Реальная эмоциональная жесть случилась в 21 год.** Я прямо серьезно влюбилась в мальчика, да и он в меня. И такая романтика, и рассветы на балконе, и невероятный, ну по меркам 21 года, секс до утра. А потом опа — «у меня есть девушка». Полгода рыдала. А он ходил кругами. Какие-то письма, звонки, предлоги. Гордая, я была неприступна. И зареклась, что больше вот никогда.

**«Больше никогда» случилось лет через пять.** Я уже была замужем, он — жил гражданским браком с девушкой. И влюбленность захлестнула нас прямо на рабочем месте. Тайные свидания, встречи на конспиративных квартирах, долгие прогулки с собакой, чтобы поговорить по телефону, пылкие признания. Любовь в лучших традициях Ромео и Джульетты. Все, кстати, могло получиться, если бы мы не тупили с разрывом в официальных отношениях. В итоге, кстати, и он, и я разошлись со своими партнерами, но несколько позже актуального срока.

**И конечно, снова «больше никогда», и «чтоб еще раз», да в двойные игры.** Правильно говорят — не зарекайтесь. Потому что через три года, аккурат под 30 лет, со мной случился ОН. Женатый, с тремя детьми и, разумеется, ну прямо мой человек.

> Вообще, когда люди слышат **«любовница»**, их воображение, как правило, рисует роскошную, длинноногую юную нимфу, с губами, пышной грудью, волосами. Невероятно томную, восхитительно плавную, с грацией кошки и холодным взглядом. Расчетливую, роковую, похищающую сердца несчастных женатых мужичков.

Я — обычная девушка. Немного с синдромом «ходячей катастрофы». Да, привлекательная, кто-то говорит, что красивая. У меня все свое, и даже ботокс я пока не колю, хотя скоро начну. На роль иконы стиля или роковой красотки я не претендую. С большим удовольствием разглядываю фотки шаблонных, признанных красавиц, что-то подмечаю для себя. Но я — такая, какая есть. И очень люблю себя за это. И более того, я не знаю, как разбивать семьи, потому что не в моей это компетенции. Конечно, очень хотелось бы иметь власть над людьми, но только два человека могут разрушить семью — муж и жена. Больше — никто.

У меня свой небольшой бизнес в сфере рекламы и медиа. Собственно, этим и еще журналистикой я занимаюсь всю свою жизнь. Сама обеспечиваю себя и очень много работаю. Не гламурна, спокойно отношусь к тусовкам, посещаю их больше по необходимости.

Одним словом, полный набор: привлекательная, с мозгами, карьерой и своим бизнесом. Что для мужика — весьма сомнительный багаж.

**Естественно, любовь у нас с виновником этой книги случилась невероятная. Вот прямо такая, про которую пишут в книгах и о которой снимают кино. И все рыдают, давятся попкорном и мечтают — вот бы мне так. Ага-ага.**

Рыцарь наш не мог дышать, спать, есть, да и вообще в принципе существовать без меня. Разумеется, я — туда же. Но, будучи девушкой осмотрительной, наученной подлым Гришкой еще в первом классе, я поинтересовалась, как обстоят дела с узаконенной претенденткой на половой орган, храп и грязные носки… Ах, простите, на волшебную возможность спать рядом с любимым, создавать ему уют и быть опорой. Герой повел себя как настоящий мужчина и заявил, что она хороша и слова плохого не заслужила, но любовь ко мне так сильна, что остаться с ней не представляется возможным. И нужно буквально немного времени, чтобы подготовить почву. Месяц максимум. Я, сраженная благородством, четкими целями и сроками, упала в объятия.

**Прошло два года…**

И я приглашаю вас в изнанку мира роковых разрушительниц семейного очага.

“

P. S. Да, и про совесть. За время моего «запретного» романа я прошла разные стадии. От «ничего плохого не делаю» до «боже мой, от меня ведь столько боли людям». Ни в одной из них не было комфортно, ибо что-то обязательно не стыковалось. Поэтому в итоге я оказалась в единственном верном на мой взгляд подходе. **Ответственность за страдания своей жены и детей несет исключительно один человек — мужчина.** Это он дает клятвы, это он принимает потом решение их нарушить, это он своими ногами идет проводить время не со своей семьей, а на стороне. Да, я не буду отрицать, меня волнуют и трогают чужие переживания. Но в случае с незнакомыми мне и не близкими людьми — ровно настолько же, насколько меня волнует грустный фильм про Хатико и несправедливость мира. Нести ответственность за чужие семьи — мягко говоря, сомнительная инициатива. Со своей бы жизнью разобраться...

”

# ГЛАВА 2

# КАК ВСЕ НАЧИНАЛОСЬ

На момент нашего знакомства мой брак благополучно подходил к концу. Я безмерно устала от того, что приходилось нести ответственность за все-все-все. Начиная от покупки собачьего корма и заканчивая серьезными бизнес-вопросами. Где взять денег, как провести отпуск, как разнообразить отношения — список был бесконечным.

За три года меня это порядком достало, и я понимала, что нужно бежать. Либо отползать. Так как в тот момент на меня свалилась внезапная смерть любимой бабушки и смертельный диагноз отца. Лучшего момента для перемен в личной жизни и найти нельзя.

С героем моей истории, назовем его Андрей, мы были знакомы уже давно, но как мужчину и уж тем более — потенциального спутника жизни — я никогда его не рассматривала. Семья, дети, слишком много снобизма, да и внешне не особенно в моем вкусе.

Потом случился совместный проект, который требовал частых встреч. И я стала замечать заинтересованность мной, моей жизнью, делами. Деловые темы разговоров перерастали в личные, и как-то, в один из вечеров, стало понятно, что расставаться совсем не хочется. Я пропустила два поезда в Питер, а он побоялся поцеловать меня на перроне.

Все развивалось довольно стремительно, и я, честно говоря, не особенно думала о том, что и как будет потом. Далеко идущих планов не было и близко, какой там уводить из семьи, я и спать-то с ним не собиралась. Мне нравились его внимание, бесконечные звонки, наши долгие разговоры. Андрей как-то очень быстро окружил меня заботой, пониманием, интересом. С ним было замечательно беседовать, он генерил идеи, проявлял инициативу, с большим энтузиазмом планировал общие дела.

*Андрей быстро признался в любви и попросил о том, чтобы я приняла решение относительно будущего наших отношений. Я поинтересовалась о перспективах, получила в ответ, что раз все так случилось, он тоже будет свою*

> жизнь менять и мы пойдем вдвоем в светлое будущее. Что ж, коль так, то пойдем, подумала я. И сообщила мужу, что я ухожу.

Понимала ли я, на что иду? Нет, не понимала. В тот момент я искренне верила Андрею, его решимости, уверенности в нас. О том, что начнет происходить потом, никто не предупреждал, да и он сам этого не знал.

Для описания следующих полутора лет понадобится отдельная книга. И когда-нибудь, когда будут силы вывернуть всю изнанку моей души перед публикой, я это обязательно сделаю. Случались моменты, когда было настолько невыносимо, что я могла часами лежать на полу в ванной, просто умирая. От обиды, непонимания, горечи, этой бесконечной лжи. Потом я как-то вставала, находились доводы, поводы для очередного карт-бланша.

В какой-то момент, в очередной раз обнаружив себя на холодном кафеле, я поняла: что-то здесь не так. Причем, не с окружающим миром, а именно со мной. Ибо сценарий «все козлы, но скоро просветлятся» почему-то не работал. И решила пойти по другому пути. Разобраться, почему и как я оказалась здесь, для чего это нужно и что в этом кромешном эмоциональном аду я получаю.

Мой блог появился тогда, когда я морально достигла дна и нужно было как-то отталкиваться — или лечь уже и умереть. Был выбор: продолжать сидеть в соплях, слезах и тонуть в болоте или начать что-то делать. Я пошла делать и нашла вот такой путь, так как писать — лучшее, что я умею в жизни. Всегда мечтала танцевать или гениально играть на фортепиано, но судьба распорядилась иначе. Вообще, это то свойство, которое я люблю в себе больше всего, — уметь сделать что-то стоящее, даже в самой патовой жизненной ситуации. Друзья шутят, что, скорее всего, свои собственные похороны я умудрюсь превратить в увлекательное действо или бизнес-проект. Мне очень хотелось показать миру другой взгляд на проблему измен. Что есть люди, ну, или человек, способный открыто заявить о своем непростом статусе и рассказать, как же в нем живется.

Я начала изучать себя и других и делиться этим. И, оказалось, что откровенность действительно работает. Ко мне пришли читатели, почитатели, хейтеры. Люди делятся своей болью, своими историями. Не просто так я заявляю, что знаю все об изменах. Более 6000 историй от жен, любовниц, мужчин мирно покоятся в моем сундучке. В чем-то они все разные, в чем-то очень похожи.

Моя личная история тем временем существенно видоизменилась. Но не потому, что Андрей вдруг просветлился и стал другим человеком. Скорее, во многом изменилось мое отношение ко всему происходящему. А вслед за ним уже — его отношение ко мне и сценарий нашего романа. Ведь по сути, все, что мы имеем в наших любовных перипетиях, является отражением того, что живет внутри нас. Поэтому разобраться с внешними «мучителями» и «манипуляторами» можно, только раскидав демонов, внутренних и ментальных. Чем мы с вами и займемся.

Начнем, пожалуй, с самого начала.

# ГЛАВА 3

# ПОЧЕМУ МЫ СТАНОВИМСЯ ЛЮБОВНИЦАМИ

Хорошо помню, как я пару лет назад сидела и ныла своей умной подруге о том, что вот, жестокий мир, роковая любовь и все так сложно. А я хочу семью, детей и чтоб всегда вместе и рядом. Она посмотрела на меня внимательно и попросила детально описать, как будет выглядеть эта наша с ним счастливая, полноценная жизнь. Я, всхлипывая, начала что-то мямлить про гарантии, спать вместе, одно целое и все такое. Моя дотошная девочка потребовала конкретизировать и детально, от и до, описать хотя бы месяц из этой светлой картинки. Я начала. И по мере погружения поймала себя на том, что ничего, кроме скуки, а затем и некоторого страха с отторжением, она у меня не вызывает. С тех пор люблю задавать такие задачки подписчицам, которые спрашивают, когда же их избранник уйдет из семьи, и с интересом наблюдаю за результатом.

Это я все к чему.

## БЕГСТВО ОТ СТАБИЛЬНОСТИ

Первый вариант моего списка звучит как «не хочу стабильности».

А хочу фейерверка, драйва, вечной романтики, эмоциональных качелей-каруселей. Свободы в конце концов. И чтоб все насыщенно, и каждый день как на вулкане. И любовь как в книжках. С идеальным балансом радостей и сложностей. Круто же, правда?

Это то, с чего, собственно, начался мой роман. Мне очень хотелось водопада из эмоций, и чтобы на руках носили, и называли «божественной» и «мое счастье». Андрею, кстати, хотелось ровно того же. Рутина и разговоры только о детях быстро надоедают.

> *Или, бог с ним с вечным праздником, просто не надо мне с кем-то полноценно сливаться воедино. Вдруг он меня совсем проглотит? Чур меня! Вот с таким «полумоим» гораздо спокойнее и безопаснее.*

Наше желание не заводить отношения в полном смысле этого слова далеко не всегда осознается прямо. Девочки, которые вписываются в роман с женатым, свой внутренний посыл не слышат. За что спасибо нашему социуму.

В нем принято, что женщина должна хотеть семью. Замуж, детей, статус, как за каменной стеной — отбойными молотками каждый день стучит в наших головах пропаганда традиционных ценностей. Не уточняется, правда, что женщина — это человек. Человек, которому свойственно на разных жизненных этапах хотеть тоже разного. Голоса общественного «надо» так прочно существуют внутри нас, что иногда мы принимаем их за свои собственные. И начинаем путать с реальными желаниями. Отсюда и получается, что вроде как я очень хочу, и когда же уже, когда. Но стоит мне реально задуматься, как это конкретно будет выглядеть, как начинает аж слегка мутить.

> *Это, скорее всего, ваш случай, если в анамнезе прошлого присутствуют: романы на расстоянии, влюбленность в кумира, долгая безответная любовь. Ибо все это идет в копилку под названием «избегаю реальных отношений».*

В принципе, избегаешь и избегаешь. Лично я придерживаюсь мнения, что когда захочется чего-то реального, оно, собственно, и появится. Психологи не всегда со мной согласны и говорят, что если подобный сценарий повторяется не впервые и доставляет уже реально мучительные ощущения, то лучше идти и раскапывать, что там такое внутри нас боится полноценной связи.

## БЕГСТВО ОТ ОТВЕТСТВЕННОСТИ

Следующая тропинка, которая приводит нас прямиком к окольцованному герою, — избегание ответственности. Проще говоря — нежно мною любимый синдром жертвы. Он далеко не всегда проявляется в виде заплаканного существа, чешущего косу у окна. Часто им страдают вполне себе веселые, позитивные и активные девочки, которые просто не хотят принимать никаких решений относительно своей жизни. Либо хотят, но очень устали и стремятся передохнуть.

Довольно быстро вся твоя жизнь начинает зависеть от него. Встречаетесь вы тогда, когда он может, и там, где ему удобно, и длится свидание ровно столько, сколько у него есть времени. График вашего романа, включая сексуальную жизнь, подчиняется ритму совершенно чужих людей. Ибо сегодня он внезапно не смог, потому что у жены заболела пятка, а завтра простудится младший ребенок. И главное — ты завязана на самое важное его решение. Уходит он или остается.

Симптомы в твоей голове в итоге могут начать выглядеть так: я уже вроде и с ним не могу, но и уйти сил нет. Пусть уже сам решит.

Синдромом жертвы мы все начинаем страдать по разным причинам:

— у кого-то детская травма и слишком ранняя самостоятельность;

— у кого-то просто усталость от «все сама-все сама»;

— кто-то вышел из тяжелых отношений, где приходилось полностью все решать за партнера, и врубил внутреннего ребенка;

— кто-то, наоборот, просто привык всю жизнь сидеть в тени деспотичных родителей и их мнения.

Изначальные вводные могут быть разными, результат, как правило, один. **Жертва не способна на самостоятельные действия. А следовательно, будет всегда жить не свою жизнь.**

Если оно так тебе удобнее — то принимай, осознавай и радуйся, что текущий роман полностью покрывает эту твою потребность. Ну а если все же хочется другого, то можно попробовать кое-что с этим сделать.

> Первый самостоятельный шаг — составь список вещей, решения о которых ты принимаешь сама. И дополняй его каждый день новыми пунктами. Причем, что важно, хвали себя за каждый. И воспринимай его как шаг к новой, своей жизни. Через какое-то время заметишь интересные изменения.

# Синдром «Бога»

Третий путь, который мог привести тебя в волшебную страну единорогов, является полной противоположностью предыдущего. И называется — «все зависит от меня». Это про неуемную жажду власти над другими людьми и миром в целом. Эдакий Бог с французским маникюром и в платье от «Дольче». Понятно, что напрямую ты не думаешь «все подвластно мне, и будет так, как я хочу». Хотя, всякое бывает, и такое мне встречалось.

Обычно эта страстишка проявляется следующим образом: тебе кажется, что решения твоего избранника зависят от тебя и твоего поведения. То есть, если ты будешь проявлять себя так-то и так-то, то окружающие тебя люди (читай — твой мужик) будут вести себя, как нужно тебе. Например, если ты научишься варить лучший в мире борщ и делать идеальный массаж, то он сразу уйдет от жены. Не уходит — значит, ты не все сделала правильно.

У этого варианта есть одно очень печальное последствие.

> Как правило, строя отношения по такому сценарию, ты практически лишаешь себя возможности закончить их, когда окончательно надоест самосовершенствоваться. Просто потому, что разрыв по твоей инициативе будет означать полный проигрыш. Total shit. Ушла = не смогла = плохая.

Если ты заметила у себя подобные мысли, покопайся в прошлом. Вероятно, тебя всегда тянуло к борьбе «добра со злом» и всяческим свершениям. Что-нибудь из серии: хорошие девочки получают только пятерки, если будешь неряхой — никто на тебе не женится, любят только добрых и тому подобное. Иллюзия, что людей можно подчинять себе хорошим или правильным поведением, — мощный шаблон, который довольно трудно переломить в себе. Он-то и приводит нас в отношения, где нужно бесконечно бороться, доказывая свою уникальность, и за это якобы положена вкусная конфетка.

Когда я замечаю за собой подобные мотивы, просто даю себе право побыть плохой. Это иногда полезно. Да что там полезно, гораздо безопаснее, чем оставаться самой лучшей и править миром.

## МАТЕРИАЛЬНЫЕ БОНУСЫ

Есть, конечно, девушки, которые идут в отношения с женатым мужчиной по материальным соображениям. Да, да, чего уж отрицать, содержанки присутствовали всегда и вряд ли куда-то растворятся. Этот вариант я не считаю нужным подробно рассматривать, так как все предельно ясно. Простые и понятные рыночные отношения, в которых девушке какое-то время в ее жизни действительно может быть вполне комфортно. Страдать там, как правило, никто не страдает, скорее, наоборот: все радуются насыщенной и четко распланированной жизни.

# ГЛАВА 4

# МИФЫ О ЛЮБОВНИЦАХ

Как я уже сказала вначале, статус любовницы окутан рядом мифов, большая часть из которых довольно комична.

Помню, как-то угораздило меня посмотреть русский сериал про «она любит его, а он любит ее, а еще Машу, а потом она узнала, и случился кошмар-кошмар». Творение на редкость бездарное. Вот смотришь, плюешься, но все равно продолжаешь, ибо ну феерично отвратительно. Так вот. Была там по сюжету Маша-любовница. Всю дорогу она сидела в роскошной квартире, и общение ее с объектом страсти сводилось к его приездам на пару часов, где-нибудь в обед. Затем он оставлял денег, трепал по щеке и растворялся за дверью. А Маша думала, что у них любовь. Костюмерам с этой ролью вообще запариваться не пришлось, ибо все 15 серий Маруся щеголяла в пеньюаре.

К чему я это все. Читая многочисленные письма, комментарии в блоге да и просто рассуждения женщин на просторах интернета, пришла я к выводу, что Маша является частью собирательного образа любовницы, привитого нашему обществу.

Если соединить все мифы обо мне и моих «коллегах», получится довольно занятное существо.

Роскошная фигура, желательно «сделанная».

Обязательно дорогое и очень дорогое белье. Как мне писала одна дама, «любовница обязана выглядеть дорого».

Ходит эта волшебная нимфа преимущественно в неглиже. Иногда надевает что-то из верхнего туалета, чтоб встретиться в модной кофейне с подружкой, такой же сучкой.

Разумеется, не работает. А зачем? Она же королева единорогов. Живет на деньги любовника. Он, собственно, ей только ради этого и нужен. Деньги и желание «захапать чужое» (ничего, что это «чужое» лет 40 от роду, с кучей проблем и комплексов, да еще и шикарным багажом в виде жены и детей?).

Она ему требуется только для животного секса, «справлять нужду». И еще из жалости.

Любовницы около себя удерживают мужика тремя способами: волшебной вагиной, шантажом или жалостью к себе (эх, будь у меня то самое место волшебным, натворила бы я дел!).

Ну а отношения между неверным мужем и коварной обольстительницей выглядят примерно следующим образом. Роскошные апартаменты, арендованные на отнятые у жены и детей деньги. Распахивается дверь, и вбегает мужчина с членом наперевес. Дама уже лежит на кровати, она вообще с нее нечасто встает. Далее следует половой акт, лишенный любых человеческих чувств. После чего мужчина оставляет деньги и уходит. К любимой и родной жене. Угу-угу.

Я, в принципе, даже понимаю, откуда эти стереотипы берутся. Понятно, что большая часть женского населения как огня боится того, что явится смелая угонщица из песни Ирины Аллегровой и любимого, единственного уведет. Представить себе, что у ЭТОЙ может быть с ним все то же самое, что было у тебя: и разговоры, и котлетки, и прогулки, и ласковые прозвища, и планы — посмотреть своему самому страшному страху прямо в лицо. Если же убеждать себя, а для лучшего эффекта и весь окружающий мир в том, что вся эта «лавочка» лишь «по нужде» и никаких человеческих отношений там быть не может, то будет не так страшно. Это знаете, как в знаменитом приеме переговорщиков. Если тебе предстоит встреча с человеком, который по каким-то причинам кажется тебе сильнее, и ты перед ним робеешь, то представь его справляющим естественные потребности, ну или в розовом пеньюаре вместо делового костюма. И напряжение сразу спадет. **Чем больше и старательнее мы обесцениваем наш страх, тем меньше он становится.**

Большинство любовниц — обычные девочки. Они каждый день встречаются вам на улицах, в транспорте, в кафе. Возможно, работают в соседних кабинетах или одновременно с вами приводят детей в садик. Да-да, представляете, эти невиданные существа еще и размножаются. Зачастую эти дети, кстати, от чужих мужей.

## РАЗВЕНЧАНИЕ МИФОВ

### «Спит с ним ради денег»

Начну препарировать образ с моего любимого **«спит с ним ради денег»**.

Вообще, я раньше тоже так думала. Раз уж барышня идет на такую сделку с собственной совестью и спокойным сном общества, то просто обязана получать максимум материальных бонусов. Но мироздание тоже слегка... лукавит. Большинство знакомых мне любовниц не получают подарков в виде машин, квартир и крокодиловых «Биркин». Более того, усиленно работают и маникюр-педикюр делают на свои кровные. Не все, конечно, но случаи откровенных отношений в обмен на деньги для меня все-таки проходят под другим названием, какими бы эксклюзивными и долгими они ни были. А в нашей жизни я знаю пару историй о том, как посреди страстного романа у мужчины случались проблемы в бизнесе, и груз материальной ответственности за отношения ложился на хрупкие плечи «куртизанки». И ничего. Не сбегали. Одна из таких нерасторопных — прямо перед вами. В какой-то момент наших отношений у Андрея начались действительно серьезные проблемы в бизнесе. Было очень тяжело. Прямо вот очень-очень. То есть денег у него не было даже на какие-то элементарные продукты. **Безденежье — испытание, которое с одинаковым успехом как проходят, так и проваливают и жены, и любовницы.** Курьезный случай был у моей подруги. Ее любовник, жена которого три года всеми мыслимыми и немыслимыми способами удерживала его и не давала развода, внезапно разорился. Ровно через месяц после этого события он был вытурен из дома с «чистым» паспортом. К «шлюшке, которой только бабки сосать».

Есть у меня еще одна знакомая, одна из давних читательниц. Очень успешная девушка, занимающая должность руководителя одного из банков. В первом браке у нее были «ад и сатана» — бытовое насилие, алкоголизм, бесконечные дикие скандалы. В итоге с грудным ребенком на руках она в буквальном смысле этого слова уползла оттуда и начала строить свою жизнь сама и с нуля. Прошла серьезный карьерный путь и встретила своего текущего любовника будучи уже с квартирой, машиной, весьма солидной заработной платой и статусом в обществе. Отношения их длятся семь лет. Конечно, ввиду того, что избранник Ани обеспеченный человек, он дарит подарки, они выходят вместе в свет, куда-то ездят. Но ровно то же самое присутствует и в другого рода отношениях. Обеспечивает себя и сына она сама, да и регулярно помогает Ване с его бизнес-вопросами. При этом его жена — полная противоположность. Она не может самостоятельно даже оплатить квартирные счета. Эдакая показная беспомощность. И, конечно, «если ты от нас уйдешь — я умру». Она знает об Аньке, о том, что скоро «эта дрянь» родит ее мужу ребенка. Но ничего, кроме звонков «ты сука и стерва», не делает. В том смысле, что задуматься о том, почему ее муж столько лет живет параллельной жизнью с полной ее противоположностью и не скрывает этого, почему-то она не хочет. Зато просить деньги на платья, туфли, салон красоты и прочее — это да. Согласитесь, тут еще надо подумать, кто ради денег, а кто по другим причинам.

## Ноги от ушей

Конечно, мне хочется тут написать, что все мы невероятные красотки. А я, пишущая этот текст с пучком на голове и в пижамке с совушками, вообще Мисс Вселенная Единорогов. На деле у нас тоже бывают секущиеся концы волос, прыщи и, о ужас, целлюлит на бедрах. Более того, довольно много девочек вообще ничем роковым не примечательны. В красную помаду с утра не наряжаются, да и чулки в –30 °C не носят. Внимания к себе — да, пожалуй, больше. В силу того, что есть желание держать в тонусе себя и мужчину. Силикона, кстати, я куда больше вижу на пытающихся запрыгнуть в электричку уходящей молодости женах.

Знаете, я как-то наткнулась во «Вконтакте» на группу «Они уводят наших мужей». Там девушки, мужчины которых, собственно, загуляли или даже ушли из семейного гнезда к другой, выставляли фотографии разлучниц. И я сразу вспомнила анекдот про мужика, который пришел в женскую консультацию и удивлялся: «Кого только не...». Ничего общего с невероятными красотками уровня Виктории Лопыревой там и близко нет. Возможно, единственное, с чем я могу согласиться, так это с тем, что любовницы гораздо реже «одомашниваются»: хочется ведь встречать возлюбленного красивой, а не в застиранной маечке. Так что и кружевное белье, и чулочки, и особенная одежда — да, присутствует. Но что-то мне подсказывает, что в романе со свободным мужчиной все будет ровно так же.

## «Никто больше не клюет» и поганый характер

Не могу пройти мимо замечательных характеристик типа «никто больше не клюет», «одинокие брошенки», «поганый характер — ни с кем не ужиться», «ваш удел — вибратор» и т. д. Вообще, все это с легкостью можно применить и к супругам, которые годами терпят измены или живут с нелюбимым человеком. Да и просто к одиночкам, которым по тем или иным причинам комфортно без пары.

Вопрос ведь не столько в том, кто «клюет» на нас, сколько в том, на кого «клюем» мы.

Заметила, кстати, интересную статистику. Довольно большое количество любовниц — девушки, побывавшие в браке и ушедшие из него по своей воле. То есть, в принципе, был вариант сидеть спокойно себе замужем и не волноваться по поводу вечного одиночества. Но, видимо, желание быть счастливой все же пересилило.

## Неудачница

Ну и, конечно, отдельно стоит упомянуть о мифе, который говорит нам, что все любовницы — неудачницы по жизни, и достойная дама, которая ценит себя и что-то из себя представляет, мол, никогда в такие отношения не пойдет. Я просто перечислю некоторые имена: Анджелина Джоли, Коко Шанель, Клеопатра, Вера Брежнева, Мата Хари, Людмила Гурченко. Список длинный. Можно ли говорить о том, что эти персоны — ноль без палочки и никому не нужны? А они, в разные периоды своей, уже успешной на тот момент жизни, состояли в адюльтерах.

Меня всегда искренне поражал вот этот наш, типично русский, кстати, стереотип, что ты можешь добиться головокружительных высот в любой области, быть востребованной, вести за собой миллионы людей и творить благие дела, но если при этом у тебя нет штампа в паспорте и статуса «замужем», тысячи «счастливых жен и матерей» будут лить на тебя помои и рассуждать, что ты — неполноценная личность. Почему полноценность и масштаб человека регулируются довольно штатной социальной процедурой при участии тети в гобелене, видимо, навсегда останется для меня загадкой.

Как и деление людей по классам. Типа, если ты жена, то ты номер один. А если любовница — то на вторых ролях. Возникает логичный вопрос, почему «номер один», которой достаются все сливки, любовь, забота, общий дом и время, так сильно переживает о том, что где-то может болтаться никчемный «номер два»? Ведь по этой логике любовница никакой опасности для семьи не представляет вообще. И чего нервы на нее тратить?

Собственно, это я все к чему. Любовницы — по большей части девушки самостоятельные и даже самодостаточные. И, возможно, именно в этом и кроется одна из причин, по которой мужчины к ним тянутся. Но не могу кривить душой и не сказать о том, что довольно часто все эти качества начинают теряться по мере развития отношений в треугольнике. К сожалению, несмотря на уверенность в себе, интересные занятия и далее по списку, любовницы попадают в мучительную эмоциональную зависимость от отношений. И это может быть настолько болезненным и разрушающим, что под откос летит все. Но об этом я расскажу чуть позже.

Наши отношения с любовниками мало чем отличаются от обычной жизни влюбленных. Мы даем друг другу забавные прозвища, выискиваем потом картинки с ними, чешем спинки, спим обнявшись. Да-да, просто спим, без грязного животного секса с анальными пробками. Ходим в кино, на выставки, в парки, катаемся на коньках, планируем будущее. Варим морс, если настигла простуда, и жарим котлеты к ужину. Часто ваши семейные друзья в курсе существования второй жены, просто ввиду такта и ума никогда не расскажут вам об этом. Все вместе мы ездим на совместные пикники или обеды, пока общественное мнение все списывает на волшебную вагину и жажду денег... Да что там друзья. Знакомая мне пара, он — женат, она — любовница, давно вхожи в родительские дома друг друга.

Во вторых семьях действительно очень часто появляются дети. Причем по инициативе мужчин. И им дают фамилию, проводят с ними время и полноценно вкладываются в воспитание.

## Любовница — «туалет для нужды»

Еще одно ошибочное мнение, которое усиленно поддерживается сторонницами теории «любовница — туалет для нужды», мол, длиться такие отношения могут недолго, пока наш мальчик не наиграется. А потом надоест ему эта, найдет другую. Свела я тут статистику из всего потока исповедей. И получилось, что в среднем продолжительность романа на стороне составляет 3–5 лет. Дальше, как правило, либо уходит любовница, либо уходит мужчина... из семьи. И это — общая температура по больнице. А еще есть много примеров людей, которые вместе в своей «потусторонней» истории 7, 8, 9, 15 лет. У кого-то и не по одному ребенку рождается в этой второй семье. Можно ли в этом случае говорить о том, что у людей временное помутнение рассудка, основанное исключительно на плотских утехах? Мне думается, что нет.

Да, я понимаю, что осознавать это страшно. Мне самой, честно говоря, становится несколько неуютно от того, сколько вокруг нас двойных жизней и каков объем лжи вокруг этого всего. И даже подумать противно, что, например, твои друзья могут все знать и спокойно смотреть в глаза на семейных сабантуях. Но, оказывается, это реальность. А на нее стоит смотреть откровенно и прямо. Дабы не было мучительно больно потом.

"Подводя итог ликбезу о мире алчных куртизанок, мы приходим к выводу, что любовницы, в общем и целом, — это обычные девушки и женщины. Со своей любовью, болью и своим особенным счастьем. Вполне возможно, что такой формат отношений может быть не понятен вам или неприемлем для вас. Но это не отменяет того факта, что они существуют. Просто так случилось, что наши любовные истории в какой-то момент переплетаются с чужими, но от этого никто не застрахован."

# ГЛАВА 5

# ПРО ОЖИДАНИЯ И РЕАЛЬНОСТЬ

Любой из нас кажется, что именно ее история станет не такой как все. Знаете, что-то типа: «у нас неземная любовь», «меня эта грязь не коснется», «невероятное единение душ и тел», ну и далее по списку из романтических рассказов. С легкой грустью и саркастической улыбкой я вспоминаю, как в начале наших отношений я с завидным рвением говорила друзьям, что нет, я — не любовница. И наш роман, он совсем не такой, как у всех. И будущее вполне определено и распланировано.

Большая часть сценариев в любовных треугольниках похожи. Сначала все здорово, потом, довольно быстро, становится, мягко говоря, не очень. Страдают все, начинается бесконечная драка за время, внимание, чувства; вранье виновника торжества достигает невероятных масштабов, и все бы рады уже закончить, но никак не получается. Сейчас я уже могу говорить об этом более чем уверенно, ибо с того момента, как публично открыла свой статус и прямо заговорила с обществом о том, что вот, ребята, мы существуем, мне каждый день присылают свои истории разные люди. И иногда доходит до смешного — отговорки, оправдания, манипуляции и даже построение фраз похожи до смешного. Меня периодически посещает мысль о том, что существует особенное учебное заведение, в котором коварные изменщики кропотливо изучают такие дисциплины, как стратегические отмазки, перекладывание ответственности, мастерство страданий, иллюзии саморазрушения и прочее.

## Любовь решает далеко не все

Многие, ох, очень многие девушки попадают в ловушку иллюзии — «любовь решает все». И коль она у нас есть, то скоро все разрешится в мою пользу и мы, взявшись за руки, прошествуем в закат. Любовь, несомненно, обладает рядом волшебных и позитивных свойств. Но, вынуждена с грустью констатировать, что решает она далеко не все. Иначе жили бы мы с вами в волшебном розовом мире со вкусом фруктового йогурта.

Хотя следует отдать должное сценаристам из отдела судеб: есть немало примеров, которые идут вразрез с привычной картиной всеобщих страданий. Если говорить о статистике, то их, наверное, ну, процентов так тридцать. Кстати, действительно счастливых семей без измен — немногим больше.

Действительно, в любовных треугольниках случаются очень крепкие в плане счастья и гармонии союзы, в которых всех устраивает текущее положение вещей. Например, Юлия. Их роману с Василием уже девять лет. Сыну — семь. Они видятся практически каждый день, дома, один выходной традиционно проводят вместе, равно как и все отпуска. Знакомы с родителями друг друга, друзьями, влюблены и счастливы. При этом он — женат. Жена, кстати, не в курсе. Ну, или делает вид, что не в курсе. Глядя на Юлю, довольно трудно поверить в стереотип о вечно ждущей и страдающей любовнице. Она сияет, абсолютно счастлива в отношениях, много времени уделяет себе и ребенку. Вася постоянно устраивает какие-то сюрпризы, поездки, свидания. Хотя, казалось бы, девять лет вон уж плотно общаются.

Или, например, Света. Ее стаж любовницы — пять лет. Она честно говорит, что, конечно, хотела бы, чтобы ее мужчина был не женат и всецело принадлежал ей. Но, так как по ряду важных для него причин это невозможно и в остальном их отношения прекрасны, Света сознательно принимает именно такой формат, отдает себе в этом отчет и пока живет сегодняшним днем. Она, как и Юля, производит впечатление весьма счастливой девушки. Чуть более рассудительна и откровенно говорит о подводных камнях и случающихся кризисах. Ее мужчина действительно делает все, чтобы в этой ситуации ей было комфортно. Она окружена вниманием, заботой, избавлена от упоминаний жены и вмешательств с ее стороны.

Таких Юль и Свет немало. И дело не только в том, что эти девушки каким-то особенным образом просветлились и постигли некую высшую мудрость. Скорее, тут главную роль играет подход к отношениям со стороны их мужчин.

В романах, где любовница становится заложницей деструктива, созависимости, болезненного слияния и бесконечно «страдает-ждет», мужчина, как правило, ведет себя далеко не как рыцарь на белом коне. Ну и, честно говоря, довольно странно требовать от человека, который проблемы в отношениях пошел решать на стороне, особенной эмпатии или стремления как-то принять во внимание чужие чувства.

Как справедливо сказала однажды моя знакомая о своих отношениях с любовником: **«Большая часть наших проблем не имеет никакого отношения к факту существования его жены».** В итоге все сводится к тому, что волшебная нимфа, которая была призвана раскрасить серые и унылые будни, превращается во вторую жену, с абсолютно теми же претензиями и переживаниями. И дальше вопрос только в том, у кого больше терпения и кто раньше пойдет разбираться уже со своим багажом внутренних проблем, которые привели в эту мясорубку.

Подозреваю, что я не единственная, кто штурмовал «Яндекс» запросами «муж ушел к любовнице», «я ушел от жены», «через сколько уходят от жены к любовнице». Варианты у всех будут такими разными и такими одинаковыми одновременно. Чаще всего точку действительно ставит любовница. Устав от давления со стороны общества, от лавины лжи и странного поведения, захотев, в конце концов, своей жизни, без присутствия третьих лиц. Скажу честно: пока я не услышала ни одной истории, в которой девушку отпустили бы с первого раза и не пытались вернуть обратно в комплект. И, кстати, да, часто уход любовницы провоцирует развод, потому что отдушина пропадает и жить в разрушенном браке становится совершенно невыносимо.

Уходят ли мужчины к любовницам? Уходят. Не скажу, что прямо каждый второй, но многие. Как правило, процесс этот для них весьма мучительный. Вопрос только в том, что потом делать с этим бесценным приобретением.

Остаются ли мужчины в семьях после бурного романа на стороне? Остаются. Но вопрос относительно счастливого будущего ровно такой же, как и в предыдущем абзаце.

Думаю, что на этой ноте мы можем смело переходить к разбору одного из главных вопросов, который часто звучит как с одной, так и с другой стороны. Почему он не уходит или почему он остается, если..?

## ГЛАВА 6

# ПОЧЕМУ ОН НЕ УХОДИТ

Казалось бы, что может быть проще? Не любишь жену, не пылаешь к ней страстью, тайно мечтаешь, чтобы сама уже все поняла и сделала роковой шаг, — уходи. Будь мужиком, собирай волю в кулак и рули к прекрасной нимфе, которая уже все плинтусы обгрызла в ожидании. Но что-то постоянно мешает. «Может быть, трое детей, а может быть, директор школы».

> Я придерживаюсь мнения: не уходит, потому что не хочет.

Ну нет тут никаких других объяснений. Прикрывать это «не хочу» можно чем угодно. Бедными страдающими детишками, внезапными смертельными недугами жены и всех родственников, проблемами на работе, грядущим цунами и угрозой глобального потепления. **На самом деле, как ни крути, за всей заботой об окружающем мире стоит лишь внимание к собственной персоне.** И стремление сделать лучше для себя. Мы, кстати, все такие.

**Но, конечно, просто «не хочу» было бы слишком прозаично. Ибо и у него есть своя подоплека.**

Я много наблюдаю за людьми, пытающимися принять решение, с кем же им остаться. И заметила некоторые вещи, которые они сами иногда не понимают, но активно транслируют в окружающий мир.

Когда-то он женился на своей супруге по любви. Сейчас, конечно, наш герой может рассказывать разное про «залет», жестокий мир и «упал, очнулся, кольцо», но с высокой долей вероятности тогда он к девушке питал нежные чувства и вел под венец с целью прожить долгую счастливую жизнь.

Дальше, видимо, в какой-то момент что-то пошло не так, и оказалось, что и жизнь не такая уж счастливая, и участники процесса претерпели некоторые трансформации. Нет, я сейчас не про засаленный халат, бигуди или 30 килограммов лишнего веса. Если бы все было так просто, любовные треугольники не случались бы. Может быть, она не успела за его развитием, или, наоборот, он оказался где-то внизу, или им обоюдно перестало быть интересно вместе, или они слишком переключились на «мы семья» и забыли о «мы влюбленные». Кто-то кого-то передавил, пытаясь переделать. Разное бывает.

> Итог один: раньше было круто, потом стало не очень. И вроде как уже понятно, что «лошадь сдохла, слезь», но люди упорные. И им кажется, иногда на бессознательном уровне, что все еще может ожить. Причем само. Так как никаких условий для этого создавать никто не хочет и не собирается.

Открыто мы в этом очень редко себе признаемся. Не потому что хотим врать, а просто не понимаем. Самое занятное, что даже если опостылевшая жена по взмаху волшебной палочки превратится обратно в девушку, которую он когда-то встретил и потащил жениться, ничего не изменится. **Потому что дело не в ней, а в нем.**

Я очень хорошо знаю и понимаю это чувство. Когда мне было уже все ясно с финалом моего брака, я печалилась именно потому, что любовь закончилась. А ведь была. А вдруг вернется? Ну давайте еще подождем. Прикрывалось все это сотнями отмазок, начиная от «как же делить бизнес?» и заканчивая «не хочу ломать человеку жизнь».

Любой вменяемый человек боится стресса. Это неприятное, иногда даже опасное для нас состояние. И если у товарища все хорошо с инстинктом самосохранения, он будет всеми силами избегать серьезных потрясений.

Расставание — это всегда больно и печально. Даже если оно происходит по твоей инициативе, нельзя не переживать по этому поводу. Так или иначе — «страданешь».

> Если мужчина не моральный садист, то вполне логично, что он не хочет смотреть на чужие слезы, сопли, мучения. *Ибо все это подливает масла в пламя разводного стресса.*

Помимо страданий разрыв приносит довольно обширный пласт бытовых проблем. Нужно провернуть кучу бумажных дел, торчать в судах, куда-то переезжать, привыкать к новой квартире, подстраиваться под «детское» расписание. И так далее.

> *Вот если бы оно все само — может, и не так страшно было бы.*

Давайте начистоту. Для большинства из нас мини-потрясение — передвинуть в комнате шкаф или диван. Или закрытие привычного магазина. Или, того хуже, переезд.

Даже если у вас в квартире были «змеи и сифилис», как выражается одна моя подруга, увидев бардак и разруху, перемена места жительства все равно не проходит бесследно. Что уж говорить о разрыве отношений и устоявшегося быта длиною в некоторое количество лет.

Ноющий зуб удалить не можешь решиться, пока флюс не начнется, что говорить про брак? Избегание стресса и желание поставить ситуацию на паузу вполне понятно и имеет право на существование. Но признаться в том, что ты продолжаешь держать в аду двух женщин просто потому, что избегаешь лишних переживаний, нельзя, так как в этом случае ты злостный эгоист.

**Так мы плавно переходим к ключевой, на мой взгляд, причине.**

> Никто из нас не хочет быть плохим.

Ну так вот с детства заложено в голове, что с плохими мальчишками и девчонками обязательно происходят всякие пакости. А во взрослом возрасте все это начинает называться устрашающими терминами типа «карма», «бумеранг», «чужое несчастье».

Еще осознание факта «я плохой» приводит с собой противное чувство вины. Оно похоже на мерзкого персонажа, способного провоцировать на поступки, которые мы делать не хотим. Это очень мощная штука, и вполне себе логично, что от нее разум защищается до последнего.

Мужчина, уходящий из семьи, априори плохой для всех. Для общества, которое качает головами, для ревущей белугой жены, для детей, грустно смотрящих в окно в ожидании папочки. Но главное то, что он ужасен для самого себя. Когда-то любимая, а сейчас близкая и родная женщина страдает, у детей не дай бог останется травма, коллеги смотрят со смесью зависти и осуждения. Удивительный парадокс. Человек, устраивающий танцы с бубном на две семьи, делает это лишь для того, чтобы никто не мучился, а добивается ровно противоположного эффекта.

> За всеми громкими речами про «ответственность за детей», «долг перед женой», «мужскую роль в семье» стоит лишь одно: «я не хочу быть плохим». Как и за всеми страшилками про угрозы со стороны супружницы. Ведь тогда это она — злобная стерва, а он — милый котик, которого натурально берут в заложники.

Если бы был вариант, в котором сразу после того, как он объявляет о своем уходе, все становились счастливы и радостно помогали собирать чемодан, а потом каждую субботу ждали на дружественные пироги — он бы ушел сразу и не задумываясь.

Сколько раз я слышала от своих женатых знакомых «вот если бы она сама». Ведь при таком раскладе он не предатель, решение-то принято другим человеком.

И в этом страхе я их тоже очень хорошо понимаю. Плавали, знаем. Есть такая хорошая поговорка: «Ты хочешь быть прав или счастлив?» Я в свое время плюнула на правоту и правильность и выбрала быть плохой, но счастливой. И по сей день всегда делаю так.

**Собственно, понимаю, что главный вопрос, который волнует женщину, это «доколе так может продолжаться?»** Никто не знает. Есть люди, которые держатся полгода, есть те, что умудряются лавировать годами.

Кстати, иногда любовница ставится некоторой поддерживающей терапией для уже развалившейся семьи. Ну, то есть когда в твоей жизни есть что-то доброе, светлое, искрящееся и праздничное, мириться с надоевшим бытом становится легче. Именно по причине этого феномена разводы часто случаются после того, как третьей стороне надоедает ждать и она уходит. Вентиль внешней подпитки перекрывается, и существование в семье, где уже все умерло, становится совсем невыносимым.

И самое важное. Все, что я описала, является внутренним состоянием мужчины, которое не подвластно никаким внешним влияниям. Что бы ты там ни делала, как бы ни ходила на голове, пока у него внутри есть собственные причины для «не хочу» — все будет идти как идет. **И никто: ни дети, ни жена, ни мама с папой — на самом деле не влияют на его решение уходить или оставаться. Это, пожалуй, самое важное, что нам всем стоит осознавать.**

## ГЛАВА 7

# ТРИНАДЦАТЬ МАНИПУЛЯЦИЙ

Конечно, было бы здорово, если бы все изменяющие своим половинам индивидуумы могли столь же четко разобрать себя на атомы и молекулы, как это сделали мы с вами в прошлой главе. Да не просто разобрать, а еще и набраться смелости и рассказать об этом всем, кто, затаив дыхание, ждет их судьбоносных решений. Но не будем забывать, что живем мы в реальном мире и дело имеем с реальными людьми, которые часто предпочитают пойти по довольно интересному пути и разыгрывать перед нами увлекательные спектакли. Нужно отметить, что наслаждаются этим представлением не только любовницы, но и жены. Так что, думаю, каждый из вас найдет для себя знакомые пункты в моем списке.

Я выбрала самые занятные и часто встречающиеся маневры, которые наши прекрасные нерешительные друзья используют в качестве манипуляций и ухода от решений.

## 1. ЗЕЛЕНЫЕ ЧЕЛОВЕЧКИ

Их лучшие помощники — зеленые человечки. Именно они провоцируют все невероятные события в его жизни. Например, по их вине любимый не может звонить в выходные. Писать тоже не может. Их проклятые инопланетные корабли блокируют сигналы сотовых операторов, заставляют телефон садиться, а иногда они просто похищают все средства связи. И нет, причина совершенно не в том, что он проводит выходные вместе с женой. Запомни: с ним только дети и зеленые человечки.

Возможно, ты деликатно напомнишь о существовании компьютера или еще хуже того — планшета. Он сделает удивленные глаза, возьмет за руку и с ходу перейдет к обсуждению вашей неземной любви.

## 2. БОЛЕЗНИ

Болеют они много, часто и чем-нибудь загадочным. В любой спорной ситуации типа «а как мы с тобой проведем длинные выходные» или «какие у нас планы на 14 февраля» — нападает неведомая хворь. Его лихорадит, бросает в холодный пот, а горло болит так, что наш герой теряет возможность говорить. Естественно, руки отнимаются, а глаза не видят света белого. Иначе предъявят отсутствие смс. Но главное ведь не это. А то, что в бреду, не в силах шевелиться, принимать пищу и даже ходить в туалет, он думает о тебе. Ему казалось, что именно ты сидела рядом и держала нежную руку на пылающем лбу. Во снах ты приходила, и вы разговаривали. Поэтому он был уверен, что звонил. И писал. И даже приехал на ужин, как вы и договаривались.

## 3. Генеалогическое древо из несуществующих родственников

С каждой стороны примерно по восемь штук. Жизнь раскидала их большую и дружную семью по всему свету, ну или хотя бы по территории Российской Федерации. И, конечно, родственники тоже болеют. Особенно те, кто живет за границей или где-нибудь подальше от вашего места обитания. Поэтому ему как самому лучшему племяннику, внучатому кузену, правнуку или сводному свату приходится мотаться то туда, то сюда.

Обрати внимание: график болезней составлен так, чтобы обострения случались в период школьных каникул, выходных, календарных семейных праздников. Кстати, когда ты будешь предъявлять ему претензии по поводу ваших сорванных планов (а ты, поверь мне, будешь), тебе напомнят, что полюбила ты его именно за заботу и ответственность, и он не будет чувствовать себя мужиком, если откажет в поддержке внучатой тете Глаше из Саранска. Взять любимую с собой не может — есть подозрение, что и в Саранск проник вирус Эбола. Кстати, у его жены тоже, скорее всего, есть болеющие родственники. И ей регулярно требуется с ними сидеть. Поэтому он в это время сидит с детьми.

## 4. ДЕТИ

Дети еще лучше, чем зеленые человечки, родственники или болезни вместе взятые. Тут все просто. Детьми можно прикрывать все. Ну, во-первых, он еще не переехал с чемоданами, потому что не может уйти от детей. То, что в одной квартире с ним проживает некая женщина, это ничего не значит. Ведь он там — исключительно ради детей.

Разумеется, малыши болеют. Волшебным образом это часто совпадает с тем, что жена начинает догадываться о существовании другой бабы, и нужно быстренько восстановить покой в доме. Он как заботливый папа года мчится с лекарствами домой сразу после, а иногда и вместо работы. Звонить оттуда не может. Не потому что жена. Потому что дети. Если он с ними — то все внимание только для них. Ничего, что на деле, скорее всего, он валяется перед ТВ и покрикивает, чтобы малышня там сильно не орала.

Для интереса рассмотрим ситуацию внезапного ультиматума: либо он уже валит к жене и детям, либо переезжает к тебе. Вполне возможно, что переедет. Вернее, не так — «переедет». Ведь сразу на арену этого цирка выйдут дети. Они будут стоять у окна, смотреть в черную мглу и ждать, когда же вернется папа. Они начнут звонить и плакать. Отказываться от еды и даже воды. И, как следствие, — заболеют. Какая бессердечная ехидна может запретить мчаться к больным малышам?

Также прекрасными поводами для отмены планов являются прогулы уроков в школе, родительские собрания, плохое поведение, купание, срочная потребность в продуктах.

## 5. ДАТЫ

Календарные праздники, его и твой дни рождения, ваши годовщины — это экзамен для нашего героя. Все таланты и фантазии сливаются воедино.

Итак, в вашем особом мире праздники можно переносить. У вас будут свой Новый год и свое Восьмое марта, и День влюбленных тоже передвинем. Причем на подольше, там есть шанс, что ты уже и забудешь или оно само как-то разрулится.

Все эти мещанские общественные условности, типа встречать Новый год вместе с любимым человеком, он презирает и осуждает. Это детский праздник. И не более того.

Когда история с переносом перестанет срабатывать, а раз на третий оно так и будет, он начнет ссориться с тобой. Придумывать причину для конфликта, приезжать к тебе, устраивать истерику и исчезать на день-два. Потом появляться с коронной фразой: «Любимая, я компенсирую». Как и чем — не уточняя. Но зато с рассказом том, как он сам мучился от своего свинского поведения. И не мог появиться перед тобой еще раз в этом истерическом раздрае. Ты ведь его любишь, ты должна понять!

## 6. Особый мир

Вообще, тебе будут усиленно внушать, что существуете вы с ним в особом мире. В нем нет вранья, нет общественного мнения и всех этих странных условностей, типа знакомства с родителями и друзьями, совместного быта и отпусков. Вы и ваша любовь выше всего этого.

Есть только ты и он. Ну и прекрасные единороги, которые жуют изумрудную травку на берегу алмазных озер.

И вы должны тщательно беречь этот мирок. От ссор, обид, требований и прочих женских пакостей, от которых, тебе будут регулярно об этом напоминать, развалился твой прошлый брак.

В этом мире — свое течение времени. И ты должна к этому привыкнуть. Три часа идут за час, поэтому вовремя приезжать никогда не надо. Слова и словосочетания типа «скоро», «сейчас буду», «на подъезде» несут совсем не такой смысл, как в жизни всех этих странных простых людей. Иногда «скоро» может характеризовать период от суток до трех дней, «перезвоню через секунду» — пару-тройку часов, а в случае с зелеными человечками — день-два.

Вообще, какое значение имеют все эти жалкие часы и дни по сравнению с вечностью вашей любви?!

Кстати, «скоро» вообще станет вашим любимым словом. У вас скоро будет полноценная семья и дом, он скоро разведется, очень скоро вы поедете в романтический отпуск и т. д.

## 7. Обручальное кольцо

Так, вот с этим пунктом история отдельная. Перестать его носить он не может, потому что жена оторвет все, что так дорого. А при тебе, любимой, носить нельзя, так как «его брак давно уже распался». Что сложного, спросишь ты — снял-надел? А вот и нет! Отпечаток от только что снятого кольца хорошо виден. И будут вопросы.

Но даже тут предприимчивые ребята не попадают впросак и демонстрируют чудеса изобретательности. Например, слышала я историю о том, что даже если ты уже год не носишь кольцо, при изменении климатических условий след от него внезапно может проявиться. Вот ты зашел с холода в теплое помещение — и опа! След от кольца.

## 8. ПРИРОДНЫЕ КАТАКЛИЗМЫ

Любое опоздание, пропадание на несколько дней, невозможность появиться в назначенный срок и реализовать планы хорошо прикрывается природными аномалиями.

Был такой холод, что он не чувствовал пальцев. Должен был вернуться утром с дачи и провести остаток выходных в вашем уютном домике, но на него напали клещи в весеннем лесу. Сначала он отбивался от них, а потом тачка, на которой наш герой вез сосенку для маминого садика, сломалась. И он целые сутки приваривал обратно колесо.

Внезапно случаются снежные бури в середине мая, когда он на летней резине. Ураганы и грозы срывают рейсы, на которых любимый готов мчаться к тебе. Ох уж эта природа-мать.

## 9. ПРОБЛЕМЫ В БИЗНЕСЕ

Рано или поздно невероятные истории из пунктов выше перестают работать. А закрывать бреши во времени для семьи и «ненавистной» жены все так же надо. В этом случае они обращаются к бизнесу. Ведь ты не такая глупая корова, как его супруга, которая никогда не ценила профессиональные достижения и только пилила за вечное сидение на работе. Ведь он полюбил тебя, свою нимфу, именно за понимание и поддержку. Напоминать об этом будут регулярно, а иногда и пускать в ход истории о том, что все плохо, почти банкрот и срочно нужно спасать бизнес. Поэтому сейчас ему придется бросить максимальное количество сил и времени на дела. Долгие встречи, много переговоров, и голова забита совсем не личными проблемами. Начнешь рыпаться — в ход пойдет контраргумент: хотя бы сейчас меня не бросай, ведь я не справлюсь без тебя. Ведь любишь его, должна понимать.

## 10. Твоя «бывшая» жена

О, это особый пункт нашей беседы. Каких только историй о злых ведьмах-женах я не слышала в пересказах. Ну, во-первых, у них с ней уже давно все разладилось, секса нет лет пять (ничего, что младшему ребенку год, его надуло), живут они как соседи и только ради детей. Все эти странные фото, где они буквально пару месяцев назад обнимаются — постановка. Ради детей. Он ее не любит, вообще ничего к ней не чувствует.

Ничего, что он прется к ней по первому зову и любому поводу, срывая совместные планы с тобой, любимой. Просто он хочет избежать истерик, упреков, скандалов перед детьми.

По той же причине он возил жену в Европу на день рождения и провел с ней детские каникулы, а от возлюбленной эти факты скрыл, чтобы не расстраивать по пустякам.

Названивает она ему пять раз в минуту только потому, что волнуется, не убили ли его в подворотне, а не потому, что ждет в супружеской постели. Спит он, кстати, отдельно. Если жилплощадь позволяет — в другой комнате. Если нет — с ребенком. В детской кроватке. То, что весит твой любимый котик сто килограммов, не должно смущать — ребенок акселерат, спит в двуспальной.

Кстати, про ведьм-любовниц они часто затирают все то же самое. То преследует, то шантажирует деловыми вопросами, то смертельно заболела и приходится через не могу с ней общаться.

# 11. ПОЧЕМУ ТЫ НЕ МОЖЕШЬ РАЗВЕСТИСЬ?

Ну истинные причины-то мы уже разобрали в прошлой главе. А вот отговорки могут быть разными и интересными.

Для начала — жена истерит. Он все ей сказал и уже собрал чемоданы, но она встала в оконном проеме и грозилась покончить с собой. Допустить, чтобы дети остались без матери, нельзя, поэтому нужно немного подождать, пока все успокоится.

Затем жена начинает болеть. Всем. От гриппа и сломанного колена, которое не срастается полгода, до опущенных почек, проблем с сердцем и сосудами. Больную бросить нельзя, он не сможет жить с таким грузом на совести. Нужно подождать, пока поправится.

Однажды ситуация достигнет апогея, и ты перестанешь понимать, почему нужно продолжать жить с нелюбимой да еще и психически нездоровой женщиной, которая уже долго существует без секса и по-соседски и при этом никак не поймет, что пора бы мужика отпустить. В этом случае будет применен бронебойный снаряд. ОНА УГРОЖАЕТ ЗАБРАТЬ ДЕТЕЙ.

А дети — это вся его жизнь. Ты ведь любишь его, ты должна понять.

На твои попытки заявить о том, что лишить права хорошего отца видеть и воспитывать детей никто не может, он наверняка заговорит о загадочных обстоятельствах, которые ведьма-жена может использовать против тебя. И начнет страдать. С упоением. Со слезами на глазах будет рассказывать, как эта стерва заявила, что его доченька будет называть папой другого мужика. А он этого не переживет. И как они со злобной свекровью настраивают деток против бедного котика и говорят, что папа плохой. Это так мучительно.

Плакать будете и вы, и единороги.

## 12. РАК ДУШИ

Рано или поздно ты припрешь его к стенке. Либо всплывет в соцсетях какая-нибудь фоточка со счастливого семейного отдыха, который неудачно совпал по времени с уходом за тетей Тоней из Саранска. Либо жена его позвонит и расскажет о реальном положении вещей. Да и простейшую женскую логику и способности получить нужную информацию любыми путями не нужно сбрасывать со счетов.

В общем, ты его поймаешь и разоблачишь. Будь готова, он сразу пойдет напролом. Не знает, как жить дальше. Ты, его неземная любовь, как рак души. И, может быть, он и рад бы уже прекратить все эти страдания, но не может. Для убедительности будет упоминать возможность суицида. Высший пилотаж, о котором я слышала, — звонки из машины с речами о том, что он несется в бетонную стену. Потому что не может больше всех мучить.

Все вранье будет оправдываться только одним: он не врал, он просто недоговаривал тебе, чтобы не травмировать.

Разумеется, ты должна спасти его. Без тебя он никак не справится. Он очень запутался и не выдерживает этого прессинга со всех сторон. Скорее всего, ты опять его примешь. Недельку он поизображает идеальную жизнь, а потом опять вы, взявшись за руки, отправитесь в мир единорогов.

## 13. НУ И НАПОСЛЕДОК — ПРАВИЛО БРОНЕТРАНСПОРТЕРА

«Я тебя люблю» — фраза, которую наши друзья, запутавшиеся в собственных чувствах и переживаниях, используют очень и очень активно. Ты с вопросом — а он «я люблю тебя». С претензией — то же самое. Говорится она в разных интерпретациях: чуть слышно, страстно, раздраженно. Эмоции меняются в зависимости от ситуации, в которой нужно закрыть тебе рот.

В идеальной картине его мира ты должна все понимать, принимать и достойно проходить любые испытания. Ведь ты необыкновенная, и тебя окружает мягкий кокон его любви. Так что банальные проявления заботы, а также поступки и принятие решений с его стороны совершенно ни к чему. Ведь самое главное — вы любите друг друга.

Самое парадоксальное, что по большей части они действительно верят в то, что говорят. Этому есть довольно простое объяснение. Так как одна часть разума понимает, что ситуация не здорова, а вторая всеми силами ратует за, чтобы отсрочить принятие решения, в итоге психика включает все возможные защитные механизмы и человек начинает сам искренне верить в свою ложь.

# ГЛАВА 8

# КАК ЖИВЕТСЯ ЕМУ

Думаю, что для восстановления справедливости после прошлой главы стоит все же рассказать и про еще одну сторону жизни коварных изменщиков. Получился он у нас злобным и хитрым манипулятором. А ведь на деле, будь он таковым, мы бы все вообще о существовании другу друга и не догадывались.

В женском обществе принято клеймить позором особь мужского пола, которая изменяет. «Козел-кобель-удобно-устроился». Все истории подобного рода сопровождаются усиленными проклятиями в сторону коварного существа, посмевшего покуситься на какое-то тело, не положенное ему по штампу в паспорте. И почему-то считается, что живется ему прямо припеваючи. Мол и тут любят, и там, прямо как сыр в масле катается. Ан нет.

Мало кто задумывается о том, что на самом-то деле у «удобно устроился» есть оборотная сторона медали.

Представьте себе, что у вас есть милый пес, лабрадор. С такими большими, красивыми и почти человеческими глазами. И каждый раз, когда вы собираетесь ступить за порог квартиры, эти прекрасные, чистые, полные преданности глаза наполняются слезами с немым вопросом: «Как, ты меня оставляешь? Здесь одного?» Самые отъявленные циники не выходят за дверь без пространных объяснений песику о том, что совсем скоро вернутся.

А теперь умножьте картину на два. И получите сотую долю ежедневной жизни мужчины, ведущего двойную игру. Две пары глаз с неизменным вопросом: «Куда? Почему? А я?» И вечной мольбой: «Останься. Я буду хорошей!»

## Когда не оправдываются ожидания

Начнем с того, что это действительно чертовски сложно — не оправдывать чьи-то ожидания. А если уж пресс идет с двух сторон — совсем тяжко. По сути там ты мудак, потому что мало времени уделяешь семье, детям, законной супруге. Тут ты подлец, потому что дуришь голову хорошей девочке и никак не определяешься с выбором.

Хочется же быть рыцарем. Героем. Лучшим мужчиной на свете.

Приходится врать. И тут, и там. Чтобы хотя бы в иллюзорном мире поддерживать имидж нормального мужика, а не размазни. В конце концов объемы лжи могут начать зашкаливать и провоцировать первые признаки шизофрении.

Кстати, кроме шуток. Есть у меня один знакомый, назову его Миша. Так вот. Были у Миши жена и двое детей, а влюбился он в прекрасную Милу. Разумеется, всепоглощающая страсть и все прочие атрибуты. Но жена отказалась легко сдаваться и старательно использовала все методы воздействия для возврата неверного супруга в лоно семьи. Мишка упирался как мог. Врал напропалую. И жене, и любовнице. В итоге заигрался так, что любовница не выдержала и отослала ко всем чертям. Он развелся. Прискакал со штампом и кольцом. Но ввиду того, что не врать уже, видимо, не мог — свадьбу срывал трижды. Три раза Милка приходила в загс в платьишке и с милым букетом в руках, и три раза жених не являлся на церемонию. И главное, все время он дико страдал. С показательными запоями, душераздирающими письмами, попытками уйти из этой жизни, которая не мила, простите за каламбур, без той самой женщины. Милин разум накала страстей не выдержал, и она разорвала всяческое общение. Что вы думаете? Вот уже который месяц Миша лежит в натуральной психиатрической больнице, с самым настоящим галоперидолом и смирительными рубашками. Нужно отметить, правда, что он очень счастлив. Пишет ей трогательные письма о том, как никчемно его существование, но лишь в такой жизни он обрел покой.

Так вот, к чему это я. К тому, что постоянная ложь ведет к разрушительным последствиям. Знаете, даже в своем мужчине я начала где-то через месяца два после начала романа замечать странные изменения. И алкоголя стало в разы больше, и глаза погасшие, и мир вокруг не такой. Хотя, казалось бы, все при нем. И жена дома ждет, и любимая женщина под боком. Удобно же? Ан нет, не скажите. Да что уж таить. Мой личный опыт измены привел к нервному тику и паре странных привычек, типа держать телефон экраном вниз, уметь по щелчку изображать бодрый голос даже в 5 утра и сверхнавыку по подделке чек-инов.

## Постоянный прессинг

Перейдем к прессингу. Испытание не для слабых духом. Поэтому меня всегда удивляло, как люди, не способные принять решение быть с кем-то одним, ухитряются выдерживать двусторонний обстрел. Каждая интересуется, когда будет брошена соперница, выдвигает требования, демонстрирует изобретательность в моральном шантаже. Добавим туда же слезы и истерики, которые мужики вообще не переносят, и получим картину, от которой реально легко отъехать головой и сесть в углу играть в кубики, лишь бы все уже отвалили. А они ухитряются терпеть это годами.

## Физическая усталость

Не стоит забывать о такой банальной вещи, как физическая усталость. Шутка ли: постоянно мотаться между двумя домами, туда картошка, сюда брюлики. А секс? Если жена не из разряда куриц, то, заподозрив неладное, начинает в три раза сильнее требовать исполнения супружеского долга. И еще приходится постоянно следить, чтобы никто не оставил на тебе следов бурной страсти. Ведь ты не у бабы, а на работе, а с женой-то разумеется вообще не спишь.

## Секс, секс, секс

О сексе, кстати, давайте поговорим отдельно. Один мой друг, который на протяжении уже долгого времени постоянно изменяет своей жене, рассказал любопытную вещь. В период бурного расцвета второго романа выполнять пресловутые обязанности все равно приходилось. Банально — чтобы избежать лишних вопросов, истерик, подозрений. Натурально — через силу. Более того, после совершенного акта он чувствовал себя изнасилованным. Состояние, близкое к слезам и истерике. И так продолжалось почти год. Вот и скажите после этого, что кто-то удобно устроился.

Коль уж мы заговорили о бытовых вопросах, еще меня всегда заботил момент еды. Кормят-то и тут, и там. А не будешь жрать — пойдут обиды. Легко, думаете, два ужина-то за вечер? Андрей, кстати, ухитряется еще и завтракать в двух домах. О каком тут ЗОЖ можно вообще говорить. Это я, конечно, сейчас немного шучу и утрирую, хотя…

## Муки совести

Совесть. Те, кто сейчас с сарказмом приподнимают бровь — вы зря. Человек, который изменяет, а тем более живет двойной жизнью, в большинстве случаев действительно очень мучается угрызениями ее, родимой. Ну а как иначе? Всем врешь, все рыдают, ты виноват. А если еще и дети — так перед ними втройне неудобно. Понятно, что он всеми силами пытается найти оправдания как для внешнего мира, так и для себя самого. Но хватает их, прямо скажем, ненадолго.

## Общественное давление

Особенный момент — общественное давление. Все, кто в курсе ситуации (а как правило — это почти все окружение), начинают смотреть на тебя косо и всячески порицать. Мол, какую хорошую жену не ценишь или какую хорошую девочку обманываешь и в подвешенном состоянии держишь. Мужчины вообще довольно болезненно относятся к вмешательству посторонних в личную жизнь, а тут мало того, что ты становишься ньюсмейкером номер один, так еще и не в самом презентабельном ключе.

> Вся эта история требует титанического количества сил и энергии. И, логично, в скором времени их просто не остается уже на что другое. Именно это, а не справедливость кармических законов приводит к тому, что страдают и дела, и здоровье, и везучесть по жизни резко падает. Создавать что-то хорошее, когда ты погружен в «ад и сатана», невозможно. Как и сосредоточиться на чем-то, кроме того, что сказать, что соврать, как еще оправдаться.

Исключениями являются те пары, в которых совпадают действительная внутренняя готовность девушки быть любовницей и трепетное отношение мужчины к ней. Я рассказывала уже об этих примерах, повторяться не буду. Так как там не приходится особенно изгаляться для поддержки баланса, все чувствуют себя намного лучше. Но в этом случае, скорее, имеет место суждение о том, что все удобно устроились.

С одной стороны, по сути, чего вообще пытаться жалеть их, обманщиков, и понимать, они ведь сами эту дорогу выбрали и с завидным упорством чешут голыми ногами по углям. С другой, как показывает практика, удовольствия особенного им самим все это не приносит.

# ГЛАВА 11

# НЕМНОГО ИЗ ЖИЗНИ

Вообще, я заметила странный парадокс. Несмотря на то, что измена требует довольно больших затрат, причем как энергетического, так и эмоционального характера, а также определенной моральной стойкости, дабы не сойти с ума от накала страстей, склонны к ней слабые люди. В привычном понимании этого слова. Я, уже с высоты некоторых психологических знаний и опыта, скорее называла бы их травмированными. Это те, кто не способен принимать решения и готов терпеть котлы с раскаленной лавой, лишь бы еще немного покачаться «туда-сюда». Причем человек, к примеру, может быть жестким руководителем, достичь серьезных высот и одной левой управляться с толпами людей, но при всем этом быть не в состоянии рассадить свой «бабятник» по лавкам.

Есть у меня одна знакомая. Мы встретились с ней, когда апогей страданий и дикости в отношениях ее с любовником достиг критической массы. Классная, красивая, успешная девочка была в прямом смысле размазана бесконечными разборками, хождениями туда-сюда и явным совершенно недопустимым отношением к ней. К моменту нашего знакомства она уже приняла решение о расставании, но не хватало «вишенки на торте», какого-то толчка или банальных сил на то, чтобы сделать уже шаг из порядком измотавшего ее, да и вообще всех, семилетнего любовного треугольника. Но не о ней сейчас речь, а о главном виновнике торжества. Назовем его, допустим, Василий.

Служащий одной важной государственной структуры, имеющей отношение к безопасности, что подразумевает под собой и закалку, и моральную устойчивость. Шутка ли, день за днем строить по стойке смирно совершенно чужих людей и разбираться с кошмарами из криминальных сводок. Нужно отдать должное, делал он это весьма успешно, чем и заслужил неплохие регалии и весьма уверенное положение на высокой должности. Помимо этого, наш герой организовал себе семью, двоих детей, бизнес на стороне и, как вы уже, наверное, догадались, — любовницу. Довольно долгое время он ухитрялся проявлять чудеса тайм-менеджмента и блестящие навыки коммуникаций, так что жена ни сном ни духом не догадывалась о существовании почти полноценной семьи на стороне. Василий практически удочерил малышку моей знакомой, регулярно оставался в их доме, проявлял себя как вполне себе заботливый гражданский супруг и отчим, появлялся с Аней в свете. Параллельно он довольно красноречиво и убедительно рассказывал ей о том, что семейная жизнь себя уже исчерпала, но, так как жена ради него пожертвовала своей жизнью, разводиться он не будет. Аню такое положение вещей на тот момент вполне себе устраивало. И, кто знает, сколько бы это еще могло продолжаться, если бы не добрые люди, искренне и всей душой пекущиеся о благополучии чужих семей. Собственно, их стараниями Светлана (законная супруга) и узнала о жизни своего мужа много нового, интересного, увлекательного. Вот тут начался натуральный ад. Дама оказалась из разряда «мой мужик — моя собственность» и развернула мощные военные действия, размаху которых позавидовали бы великие стратеги, тактики и разведчики. Вскоре она знала об Аньке все, включая имена и телефоны мастеров по маникюру и педикюру, к коим, кстати, начала исправно ходить и всячески «поливать» падшую женщину. Она звонила, она следила, приходила к дому, появлялась на работе, в ресторанах, доставала Анину дочку через социальные сети, не гнушалась контактами с матерью. Василий не делал ничего, радостно заняв позицию «пусть девочки сами разберутся». Через какое-то время, видимо, утомившись или поверив его утверждениям, что «шалава» изгнана из сердца, Света поуспокоилась, и жизнь вошла было в привычное русло. Но ненадолго. Ровно до следующего Васиного просчета. А допускать он их стал частенько. То ли реально просто устал, то ли специально провоцировал то одну, то вторую на то, чтобы хоть кто-то уже из обоймы выпал. Его телефон совершал непроизвольные звонки в неподходящие моменты, sms регулярно уходили не тому адресату, он неожиданно оказывался с одной дамой в месте, где гарантированно должна была быть вторая. При всем при этом на прямые вопросы: «Ты хочешь уже пойти туда?» — он устраивал бурные сцены на тему: «Как ты можешь! Я люблю тебя, хочу быть с тобой, как можно это не ценить!» Обе велись и пару лет списывали все это странное на провидение. Василий тем временем худел, хирел, стал очень много пить и вести себя все более неадекватно. То беспричинные вспышки гнева, то затяжная депрессия, то запой, то необъяснимая паника и недиагностируемые болезни. Самое интересное началось, когда Аня решилась на разрыв после очередной атаки Светы и бездействия Василия на этом фоне. Поняв наконец, что никто тут не собирается ни защищать, ни беречь, ни тем более идти уже к ней окончательно и с чемоданами, она объявила, что все, ребята, хватит, давайте вы тут сами без меня. После чего мы на протяжении нескольких месяцев наблюдали уникальнейший спектакль, достойный попадания на страницы учебников по психологии, а может, даже и по психиатрии. Сначала, как ни в чем не бывало («ну расстроилась девушка, бывает»), он слал цветы, приезжал пригласить поужинать и все тому подобное. Через неделю, поняв, что, видимо, дело несколько серьезнее, перешел к стадии вызывания жалости. У бедняги внезапно случилось все: проблемы на работе, жена-стерва подает на развод, очень болит желудок, и вообще, похоже, что дни его сочтены. Жестокая женщина Анна не повелась и отвергла его, попавшего под пресс страшного мира. И узнала о себе много нового. Например, что она своим появлением разрушила его жизнь. Что, если бы не она, у него была бы замечательная семья. Но, так как эта гнусная ведьма отсвечивала тут, проживая с ним на одной планете, ничего не вышло. И жить ей теперь с осознанием того, что несчастье его жены и детей — на ее совести. Периодически он пытался вернуться на этап с жалостью или к красивым ухаживаниям, но со временем моменты просветления становились все короче. Он пил, регулярно спал на коврике перед ее дверью (это, кстати, я заметила — общая тенденция, у меня тоже было пару раз), забил на работу и мало-мальски приличную социальную жизнь. При этом идея или уйти из семьи и явиться уже по-человечески к Ане, или же пойти и попытаться восстановить отношения с дорогой супругой ему в голову не приходила. Он хотел обратно комплект. В итоге при очередной проверке высокое начальство осталось недовольно его «достижениями», Вася потерял работу, затем часть бизнеса, и все пошло совсем плохо. Можно, конечно, сейчас впасть в радостное ликование — мол, вот она, карма, настигла гнусного лжеца, столько крови-то бабам попил. Но, думается мне, все намного проще. Мало кому нужен чиновник, откровенно и много заливающий за ворот, причем даже на рабочем месте, и бесконечно занятый решением своих личных проблем.

С момента расставания минуло аж полтора года. Жена Василия все так же несчастна и периодически ловит его с проститутками. Сам он регулярно пытается сообщить Ане, что она сломала ему жизнь. Назвать его счастливым язык не поворачивается. Выглядит все это довольно печально.

Или вот еще одна история. Не такая насыщенная всеобщими разборками, но довольно грустная и показательная относительно переживаний. Он, она, она и двое детей.

Браку Влада около пяти лет. За это время они с женой ухитрились обзавестись аж двумя отпрысками. А роману на стороне — два года. Любовница появилась практически сразу после радостного события — рождения второго чада. Влад — мой друг, поэтому в данной ситуации я знаю больше именно мужскую часть истории. Женился по любви, но бесконечные склоки на бытовом уровне и полное отрицание его права на то, чтобы быть кем-то, кроме мужа и отца, довольно быстро эту любовь свели на нет. Тут появилась она. Принцесса, муза, волшебная фея. Алена сразу обозначила, что в любовницах долго ходить не собирается, и коль хочешь быть со мной — будь добр определиться. И понесла…

С тех пор начался сплошной «разрыв аорты». Потому что там — ответственность, обязанность и дети. Тут — любовь, гармония и вроде как хорошие перспективы, но фиг его знает. Ведь один раз хорошие перспективы уже привели его в точку, где все стало, мягко говоря, не хорошо. Все эти два года я с грустью наблюдаю, как меняется мой друг. Из уверенного в себе, активного, веселого и общительного человека он медленно и верно превратился в вечно виноватого, замкнутого и очень-очень уставшего мужчину. Казалось бы, что может быть проще — реши ты уже: туда или сюда. Но не может он для кого-то остаться плохим. Часами на моей кухне Влад фантазирует о том, как его жена уже не выдержит и заведет себе любовника. И он со спокойной совестью сможет покинуть ее и предаться семейному счастью с Аленой. Иногда, видимо в моменты особенной безнадеги, слышу я и про другой сценарий. Мол, а вдруг она не дождется? И тут же вывод — если не дождется, то и не любила! Ничего, переживу. Главное ведь: это она решит. Дети, кстати, «любовь к которым никак не дает уйти», не видели папу по-человечески уже давно. Он уходит, когда они спят, и приходит далеко за полночь, ибо домой не тянет. Там упреки и жена. Да и вообще, так хочется подольше побыть с любимой женщиной. Как раз, видимо, приняв чуть лишнего на какой-то из вечеринок, он звонил мне и говорил, что его тошнит от них. Потому что именно эти дети — причина того, что он не может жить так, как хочет.

Как правильно говорят, благими намерениями выстлана дорога в ад. И этот случай — прямо наглядная иллюстрация. Ибо, стремясь угодить всем и для всех остаться хорошим, Влад в конечном итоге оказывается предателем и мудаком там, дома, и безвольным немощным треплом для любовницы. О чем ему регулярно и в разных выражениях напоминают обе стороны. Жена, разумеется, почаще. Алена же — когда совсем пережимается уже терпение. Вряд ли тут можно сказать, что кто-то особенно удобно устроился.

Есть, честно говоря, у меня подозрение, что если кто-то из дам все же дернется, то Владик побежит возвращать все на место. Потому что комплект работает привычно и исправно. А с одной придется решать проблемы исключительно в отношениях. А это ведь требует определенных вердиктов. Но это только мои домыслы…

# ГЛАВА 10

# НЕ ДОЖДАЛАСЬ = НЕ ЛЮБИЛА

Коль уж в рассказе о моем приунывшем дружочке возникла тема про «не дождется — значит, не любила», думаю, стоит на ней подробнее остановиться.

> Постулат о том, что настоящая любовь способна, а главное, должна ждать вечно — одна из излюбленных человеческих манипуляций. Пользуются ей, кстати, все, и мужчины, и женщины.

> *Образ Ассоль, преданно смотрящей в лазурную даль в ожидании заветных парусов, — символ той самой вечной, чистой, истинной любви.*

Понять утверждение «если любит — дождется» можно в том случает, когда речь идет об ожидании человека, например, с войны. Или из дальнего плавания. Или из больницы. С натяжкой можно понять случаи, когда люди считают себя обязанными годами ждать пропавших без вести, потому что это про одно из страшнейших испытаний — надеждой. Но слышать подобное от человека, исполняющего танцы с бубном на два фронта, несколько странно.

Большая часть романов с женатыми мужчинами строятся по однобокому сценарию.

> *Он — живет с ними двумя, потому что все сложно. Она — обязана принадлежать только ему и поставить свою жизнь на паузу до тех пор, пока он «не решит проблемы».*

За страшными проблемами на деле скрывается нежелание разобраться, чего он хочет, с кем он хочет и где он хочет. Я много раз замечала, что несвободные мужчины терзают своих любовниц нездоровой ревностью. Тотальные проверки, ограничения, постоянное требование доказательств. При малейшем намеке на то, что девушка хочет уже пожить своей жизнью, начинается песня про «ну вот, значит, ты меня вообще не любишь, не зря я тут сомневаюсь». Судят они, вероятно, по себе — ибо кому как не ему знать, как начинаются параллельные романы, как звучат «отмазки» и чем все это чревато.

Иногда таким образом пытаются скрыть действительно нереальный страх перед уходом возлюбленной. Порой, когда мы чего-то очень сильно боимся, лучшим способом успокоения себя является обесценивание. Ну, что-то вроде «на самом деле она вообще не особо-то и нужна, коль не любит меня». Если как следует внушить себе, что человек не представлял никакой ценности, переживать гипотетическое расставание гораздо проще.

Еще подобные рассуждения замечательно снимают ответственность с себя любимого. Это не я тянул кота за то самое некоторое количество лет, а она, плохая, недостаточно хотела быть со мной. Ввиду того, что все кругом вечно чего-то ждут, требуют и обвиняют «двоеженца», ему очень и очень хочется снять с себя хоть какую-то часть этого балласта.

Конечно, подобная позиция является отличным инструментом воздействия на женщину. Причем как на любовницу, так и на жену. Одна во имя любви должна подождать, пока он решится, вторая — пока «нагуляется».

Вначале утверждение «не дождешься — не любила» хорошо стимулирует на активное доказательство обратного.

Как-то обидно слышать, что человек, которого ты принимаешь с грузом проблем, багажом второй семьи, под которого подстраиваешься и ради которого останавливаешь собственную жизнь, оказывается, считает, что ты его не любишь. И большая часть девочек, втянутых в игру, естественно, начинает с большим рвением демонстрировать и верность, и готовность ждать. Ведь я же на самом деле люблю! Может быть, именно такого проявления моей большой и чистой любви не хватает для того, чтобы он уже принял решение.

Тут как раз срабатывает следующий механизм: «я не все сделала». Так или иначе, большая часть людей воспринимает любовный треугольник как борьбу за свое место под солнцем. А моря, как известно, покоряются только смелым и упорным. Ну или упоротым. Поэтому любовницы страдают прямо болезненным стремлением к идеальности и «я делаю все так». Об этом я еще расскажу отдельно. А здесь прямым текстом говорят, что если нажмешь на клавишу play, значит, недостаточно хороша.

Ну и, конечно, вечная борьба «бобра с козлом», а точнее, любовницы с женой. Сражение это идет не столько за мужчину, сколько за его деревянную статуэтку. Ибо он — трофей. Приз. Признание того, что ты — лучше. Ведь никто не может любить его так сильно, как ты. Это невозможно. Причем каждая из сторон думает именно так. Вдруг он решит, что там его ждут больше. Что там надежнее и вернее. И пыль с его изваяния будут стирать лучше. И полировать замшевой тряпочкой до блеска. А если перестанешь ждать, откажешься, значит, она оказалась более любящей, и ты проиграешь.

Может ли смерть являться доказательством силы любви? Я тебя так сильно люблю, что для демонстрации этого пойду и сигану с крыши. Как ты отреагируешь, если услышишь такое? Наверняка покрутишь пальцем у виска и отправишь человека принудительно лечиться. Это уже не любовь, это маниакально-депрессивный психоз, буйным цветом. А как поведешь себя ты, если мужчина попросит тебя доказать свою любовь показательным суицидом? Думаю, что так же.

Требование поставить свою жизнь на паузу на неопределенное время во имя вашей большой любви равноценно примеру выше. Потому что в это время ты не будешь жить. Ты будешь стоять на месте, и совершенно не ясно, зачем, для чего и чем оно все закончится.

Любви, разумеется, требуются доказательства. Ибо красивые слова — это одно. А реальные действия — совершенно другое. Каждому из нас очень и очень важно каждый день убеждаться в том, что нас любят. Только доказательства и жертвы — две разные вещи.

Любовь по природе своей — чувство, которое запускает в нас и нашей жизни множество замечательных механизмов. Энергии становится больше, трава зеленее, птички душевнее поют. А вот функция «оставить себя без жизни» в ней предусмотрена никогда не была.

Поэтому если ты слышишь в свой адрес историю про «если любишь — сможешь ждать сколько угодно», предложи спрыгнуть с крыши. Ему. Ну или, на худой конец, завязать себе одно место в узелок. Во имя любви. Она ведь того стоит.

# ГЛАВА 11

# КАК ЕГО УВЕСТИ?

Можно, конечно, годами ждать у моря погоды и разыгрывать из себя верного Хатико. Но дело это не благодарное, да и прямо скажем — сложное. А посему — быстро надоедает. И полные решимости девушки отправляются штудировать прессу, интернет, собирать success-истории тех, кому удалось «увести» или «вернуть», старательно выводят формулу, следуя которой можно уже стать одной-единственной, той самой. Ну а дальше начинается бесконечная гонка за него, бесценного и такого нужного. Вот она, кстати, может длиться не то что годами, десятилетиями. Ибо этот увлекательный процесс ой как затягивает. Почему? Давайте разбираться.

«Как его увести?» — спрашивают меня по сотне раз в день подписчицы. Причем из разных лагерей. Любовницы — с целью наконец-то перестать жить в режиме ожидания. Жены — вернуть обратно в лоно семьи. Я обычно интересуюсь, какие есть идеи. Будем выбирать лучшую.

## Я БУДУ ЛУЧШЕ, ЛУЧШЕ, ЛУЧШЕ, ЧЕМ ОНА

Вообще, в здоровом стремлении к совершенству нет ничего плохого. Развитие, реализация, новые грани в себе — все это очень нужно, полезно и приносит массу удовольствия, но только если не превращается в постоянную болезненную гонку — кто кого круче. Соперничество — оно, конечно, подстегивает, но не в этом случае.

> Большая часть девочек-любовниц попадает в опасную ловушку под названием «стать идеальной». Ход мысли следующий: если я буду беспроблемной, позитивной и ни в чем не нуждающейся — он поймет, что лучше нет. И начинаются болезненные трансформации. Замалчивание проблем, изображение безоблачного счастья, любые сек-

суальные, кулинарные, жизненные эксперименты, которые вызывают действительный восторг только у него, но не у тебя. И чем дальше — тем идеальнее.

И больнее. Потому что постоянное сравнение с далеко не такой прекрасной женой вызывает когнитивный диссонанс. Ведь я такая хорошая, что же еще-то нужно сделать? Идеальные люди на самом деле скучны и вызывают у любого нормального человека ужас. Да и сколько ты сможешь разыгрывать эту роль, отставляя себя на заднем плане — вопрос. Предположим, он уйдет. И тут выяснится, что в тебе много доселе незнакомых черт характера, потребностей и желаний. В общем, сработать может только в том случае, если ему нужна кукла, робот, а ты готова играть эту роль всю жизнь. Такое тоже бывает.

Однажды я стала свидетельницей разговора моего близкого друга и его любовницы. Начиналось все весьма невинно, с полушутливого обсуждения каких-то обычных бытовых вопросов, но вскоре вечер перестал быть томным. Ибо слово за слово — и выяснилось, что недавно у Лизы была очень непростая ситуация, в которой ей остро требовалась финансовая помощь, причем в более чем разумных пределах, что-то из серии 30–40 тысяч рублей. И вместо того, чтобы обратиться к Олегу, с которым ее связывают уже несколько лет полноценных отношений, она немыслимо изворачивалась сама. На логичный вопрос: «Почему ты ничего не сказала мне?» — девушка сначала не могла ответить ничего вразумительного, а потом, когда беседа перешла уже на довольно эмоциональный уровень, выпалила, что не хочет быть как его жена. К слову, Олег регулярно сетует на то, что неработающая супруга интересуется им, только когда на карточке заканчиваются деньги и вообще является ужасно меркантильной особой. Нет ничего удивительного в том, что Лиза, у которой портрет жены в сознании висит под слоганом «так делать нельзя», всеми силами старается отличаться и быть лучше. А Олег, от большого ума видимо, еще и регулярно подливает в этот костер бензина своими рассказами об очередных выступлениях благоверной.

Ровно то же самое происходит и с замалчивания всяческих моральных потребностей, ведь не хочется быть как «эта истеричка» и «она только и делает, что выносит мне мозг», и с сексом «она никогда мне этого не давала», ну и далее по списку. Причем чем больше притворства и иллюзии идеальности, тем хуже становится отношение со стороны мужчины.

## ЗАБЕРЕМЕНЕЮ, И ОН УЙДЕТ

Отмечу, что женатые мужчины очень часто используют этот трюк — а давай родим с тобой ребенка. Типа, в семье у меня все по залету, незапланированные были, а вот с тобой прямо хочу и мечтаю. Тот, кто посмелее, даже прямо говорит о том, что так будет легче уже принять решение о разводе, типа те дети держать не будут, так как внимание переключится на нового. О том, что в 90% случаев это просто манипуляция, целью которой является привязать тебя покрепче, удержать и выиграть еще немного времени для принятия решения, разумеется, не говорит никто. Возможно, не осознает. Но на деле оно так.

К сожалению, печальная статистика свидетельствует о том, что никому еще появление ребенка не облегчило жизнь и не ускорило уход. В самых худших вариантах — благополучно сливаются. В средних, самых частых, так и продолжают дальше жить на две семьи, только уже с более четкой уверенностью, что ты никуда не денешься. В единичных — действительно уходят. Не забывая потом при любом удобном случае припоминать, что ради тебя и твоего ребенка была разрушена вся его жизнь.

К сожалению, мне довелось выслушать немало грустных рассказов о том, как после радостной вести о скором пополнении во «второй семье» мужчину как подменяли. В лучшем случае — «вот тебе денег на аборт, и я даже сам с тобой туда схожу», в худшем — «это не мой ребенок, и больше не смей появляться в моей жизни». Есть, конечно, и светлые примеры, в которых все оставались вместе и дитя появлялось на свет. Только вот ни к какому решению сей факт не подталкивал. Итог одинаково печален — либо прерванная беременность, либо рождение ребенка, который был задуман исключительно как предмет для манипуляции.

Да, я знаю, я сама в прошлых главах рассказывала о счастливых вариантах долгих отношений между любовниками, у которых есть и дети. Но там есть важная ремарка. Они появлялись на свет не ради того, чтобы папа немедленно пришел жить к маме, а совсем из других соображений.

Давай пофантазируем. Ты забеременела, а он не ушел. Обещал, но не ушел. Он ведь уже делал так, да? После того, как его ребенку исполнится 10 лет, и после Нового года, и после того, как дочь поправится. Цирк с конями приобретет доселе невиданные размеры, и жизнь твоего ребенка начнется с драки за нерадивого папашу.

Любимый мужчина, несомненно, — очень важный атрибут жизни. Только стоит ли он того, чтобы в и без того жесткой и запутанной ситуации появлялся еще один страдающий человек, который вообще ни в чем не виноват?

## Они будут ссориться из-за меня, и он уйдет

Милые маленькие женские хитрости (читай — гадости), типа «случайных» следов блесток или помады, оставленных предметов туалета, звонков в неурочное время, нарочитых постов в социальных сетях. Все, что случайно получилось и принесло разборки. Она — скандалит, ты — принцесса. Хорошая картина? По-моему, отличная. Разве что один недочет: мужик — не клинический идиот и природу подобных штучек просекает быстро и наверняка. В итоге плохими будете вы обе. Она — потому что истеричка, ты — потому что являешься причиной скандалов, которые портят ему жизнь.

Кстати, часто в такой ситуации, казалось бы, продуманный сценарий вообще нарушается в корне. И вместо того чтобы уйти от злобной жены, которая устраивает скандалы бедному маленькому котику, герой с завидным рвением бежит скорее восстановить мир и любовь в семейной лодке. Оставив, разумеется, коварную третью сторону «подумать о своем поведении».

## МЫ С НЕЙ САМИ РАЗБЕРЕМСЯ

Наверняка многие слышали песню о страшной мегере, которая не отпускает ЕГО от юбки и грозит страшными вещами в случае развода. И про вас она говорит всякие нелепости, типа «просто потрахаться на стороне пошел, какая там любовь». Или вдруг она, бедная, вообще не знает о том, что творится за ее спиной? Жуткая несправедливость. Как с ней разобраться? Разумеется, поговорив с женой. Расскажи ей все как есть. Ведь как только она узнает все о реальном положении вещей — сразу отошлет его подальше. И вашей любви больше ничто не будет мешать.

Мужчина в такой ситуации морально просто танцует джага-джага. Он, конечно, может, и сделает вид, что жутко зол, и чего вообще вы тут развели. Но на самом деле такой расклад для него идеален. Девчонки сами все решат.

Проблема в том, что просчитать действия чужого человека — невозможно. Как правило, вторая сторона никуда никого не выгоняет или выгоняет, но на время. И затем вписывается в борьбу за сердце вашего рыцаря. И, кстати, начинает использовать все те же уловки, что и ты. Ибо журналы и сайты вы, скорее всего, штудировали одни и те же. А рыцарь, кстати, после такого шага будет при любом удобном случае отправлять вас разбираться самостоятельно.

## РЕВНОСТЬ

Многие воспринимают ревность как проявление страха потери. Если ревнует, то боится упустить. И если заставить его ревновать, он испугается и прибежит сидеть рядом, не отходя.

Чего уж лукавить — действительно работающий инструмент. Но только на время и только в правильном формате. Если начать просто отключать телефон, сидя дома, или прогуливаться по скверику под окнами, рассказывая о бурных вечеринках — толку будет ноль. Ревность в ее эффективной форме проявляется только тогда, когда ты реально и действительно переключаешься. Никакая из ее искусственных форм не способна мотивировать ни на какие поступки.

И вот первый побочный эффект — если случится серьезная влюбленность, тут и объект станет не особо нужен. Второй важный момент. Допинг такого рода работает лишь временно. Дальше придется снова и снова в кого-то влюбляться. Как вариант, в итоге вы с твоим несвободным героем просто поменяетесь местами, только счастья от этого не прибавится. Зато разборок, иногда и с применением физической силы, станет точно больше. Бразильский сериал и прочие горячие милости.

# Я помогу ему принять решение

Разумеется, наблюдать, как любимый человек мечется и истошно страдает, — не самое приятное занятие. И вполне логичным становится желание ему помочь. Убедить, рассказать, устроить, сделать за него. Всеми возможными и невозможными способами.

Ты будешь показывать счастливые примеры. Уговаривать. Искать лучших адвокатов и психологов. Слушать излияния, строить стратегии и сценарии. Станешь лучшим другом его родственникам и приятелям. Возьмешь на себя ответственность за все — его боль, страдания жены, стенания детей и так далее. Сюда же пойдут манипуляции с попытками искусственно уйти «я оставляю тебя, чтобы ты уже жил спокойно», поставить перед выбором «либо ты разводишься, либо я ухожу» и так далее.

Кстати, второй вариант, про «разводишься», может сработать, но только в самом-самом начале романа, когда еще есть бешеная влюбленность и химия. Но через какое-то время проявятся побочные эффекты в виде шастанья туда-обратно.

В какой-то момент ты рискуешь настолько пережать со своей поддержкой (читай — попытками принять решение за него), что вызовешь только отторжение. И придется оставить его в покое.

Полагаю, что итог этой главы уже стал понятен тем, кто не лишен здравого смысла.

> К сожалению или к счастью, никто другой, кроме самого человека, не в состоянии принимать за него решения. Любой поступок, вызванный шантажом или манипуляцией, является временной мерой, и потом все приходит на круги своя, только с гораздо более печальными последствиями. Уговорить кого-то любить тебя и быть с тобой — ну невозможно же. Равно как и вызвать желание быть рядом с помощью «посмотри, что ты теряешь».

**Можно делать всякое разное, но пока он не захочет уйти — он не уйдет.** А захочет он не потому, что ты идеальная или сделала что-то особенное. Развод его случится лишь по одной причине: он будет готов к этому решению. Изменить свою жизнь, от чего-то отказаться, что-то приобрести. Не ради тебя, не ради вас. Ради себя.

Что же делать, спрашиваете вы меня Ведь должен быть какой-то рецепт. Угу, пять крысиных ушей (строго парных), кожа чупакабры и порошок из рога единорога…

**Я точно знаю, чего делать не надо. Ждать и уводить.** Пока ты ждешь, пока ты находишься в застывшем состоянии «ну когда же» — не произойдет ничего. Ситуация заморожена. И тобой в том числе.

В случае с «уводить» можно, конечно, потратить много нервов, сил, энергии. Выискивать способы и методы. Получишь либо временный эффект, либо нулевой результат.

**Живи своей жизнью** и наслаждайся имеющимися отношениями, которые, возможно, во что-то разовьются, а возможно, и нет. Как и любые другие. Тем более, мы ведь помним, что оказалась ты в них не просто так, а по каким-то своим внутренним причинам.

На самом деле, по сути своей, между любовницей и женой нет никакой разницы. Гарантий в завтрашнем дне и вечной любви не дадут ни одной, ни другой. Потому как любовь — это крайне капризная, а иногда и проходящая штука.

## ГЛАВА 12

# ИНОГДА ОНИ УХОДЯТ

Как бы ни хотелось девушкам с диагнозом «жена головного мозга» верить в то, что любовница — это временно и никто и никогда ради этих никчемных существ семьи-то не бросает, в реальной жизни все обстоит несколько по-другому. И адюльтер становится началом для новой истории на двоих. Иногда — счастливой, иногда — не очень.

Я традиционно покопалась в своем «сундучке» с откровениями и поизучала сценарии развития событий. И, скажу я вам, нашла-таки некоторые схожие черты. Это ни в коем случае не означает, что нужно немедленно бежать и делать все так же. Ибо на каждый положительный пример есть три-четыре не очень веселых финала.

# Уход любовницы

Начну, пожалуй, с истории моей близкой подруги. В романе с женатым мужчиной Алиса провела три года. Ярких, насыщенных очень разными эмоциями, качелями и впечатлениями. Они объездили весь мир, бурно ссорились и не менее бурно мирились. Так что мы все были постоянно в курсе событий. Несколько раз за это время Антон «уходил из семьи». Ну, то есть Алиска думала, что он ушел, а жена его думала, что у них временные трудности и он пока поживет в гостинице. Держался он месяц-два-три, затем под любым благовидным, а иногда и не очень, предлогом устраивал бурный скандал и удалялся обратно в лоно семьи. Алиса рыдала, пила валерьянку, каждый раз буквально собирала себя по кускам, а затем любимый появлялся снова. Чаще всего — после окончания школьных каникул. Ведь необходимость ехать вместе с «ненавистной» женой и опостылевшими детьми в отпуск была удовлетворена. В очередной такой уход моя подруга поняла, что, наверное, все. Нет больше ни сил, ни желания снова ждать, считать дни и в соплях пересматривать все сезоны «Секса в большом городе». И пошла дальше. Загрузила себя, быстро обзавелась четырьмя весьма активными поклонниками и с одним из них даже начала весьма бурный и красивый роман. И, видимо, так сложились звезды, что вместо дежурного месяца в этот раз Антон подзадержался аж на три. Как мы узнали потом — реально попытался спасти брак и отношения с женой. Все же десять лет совместной жизни и двое детей. Этих нескольких месяцев, помноженных на его прошлые «боевые» заслуги, стало вполне достаточно для того, чтобы Алиса окончательно отошла и укрепилась в своем решении. Попытавшись традиционно нарисоваться «сюрпризом» на пороге, Антон получил четкие инструкции о том, куда ему стоит пройти и что там делать. Картина повторилась во второй, и в третий, и в четвертый раз. Нужно отдать должное его творческой натуре — примирительные жесты были очень и очень красивыми. Билеты на острова, корзины ее любимого шоколада, цветы в таком количестве, что в пору лавку открывать, какие-то концерты под окнами, запуски воздушных шаров около Алисиного офиса. Вся наша компания с замиранием сердца следила за развитием событий. Хладнокровие сохраняла, кстати, только виновница торжества. С поразительным спокойствием она разворачивала курьеров, уходила с балкона, увидев под окнами очередное признание, и не велась на провокации типа «умираю, стою на крыше, собираюсь выпить яд».

Через месяца два, может, три, не буду врать, безуспешных попыток Антон пришел со свидетельством о разводе, кольцом и предложением немедленно пройти с ним в загс.

Она отказала. Но согласилась попробовать хотя бы начать сначала. Сейчас они встречаются. Чем дело кончится, думаю, покажет только время.

Не буду лукавить, **сценариев «я ушла и он развелся» — больше всего**. И мне кажется, что дело тут не в знаменитом на весь женский мир кармическом законе «как только мне станет пофиг — он приползет», а скорее в том, что у человека резко ломаются сразу два устоявшихся шаблона. Во-первых, рушится комплект, который, как правило, к тому времени поодиночке уже работает крайне плохо. То есть существование в семье без отдушины на стороне становится абсолютно невыносимым. Ибо там-то за это время наворотили и не мало. И либо надо что-то с этим делать, либо уже совсем выбрасывать на помойку жизни. Во-вторых, покорное и вечно ждущее существо внезапно предстает совсем в другом свете. А именно — как человек, который знает, что ему надо, и делает это. Здоровый такой эгоизм, который для нас очень притягателен в других.

По итогам, многим пришедшим с заветным штампом в паспорте действительно удается вернуть блудную любовницу обратно и перевести в ранг уже единственной и официальной подруги жизни. Вопрос только в том, сколько оба успели натворить и совместимо ли это с жизнеспособными гармоничными отношениями.

## УХОД ЖЕНЫ

Дальше у нас уход, который инициирован обманутой женой. Иногда самой сильной стороной в геометрической фигуре с тремя углами оказывается пострадавшая сторона. Есть здравые люди, которые не готовы ставить свою жизнь на паузу, пока кто-то разбирается с тем, кого он любит, а кого не очень. Равно как и не особенно стремятся вписываться в гонку за выживание. Поэтому — в каких-то случаях сразу, в каких-то через некоторый временной отрезок — жена сама выдает заветный собранный чемодан и просит отправиться восвояси. Зализывать раны от женского вероломства и жестокости мира, который никак не захотел подстраиваться под личностные особенности такого хорошего, просто немного запутавшегося человека, герой отправляется к любовнице. Что печально, часто новоиспеченной официальной подруге жизни представляют совсем другую картину того, как развивались события. И она может довольно долго пребывать в уверенности, что решение ее мужественный возлюбленной принял сам.

Как бы то ни было, дальнейший ход истории зависит от того, насколько жена попала в точку со своим решением. Если этого от нее и ждали и своим шагом смелая женщина лишь облегчила муки совести изменщику, то все будут при своем и довольны. Если же планов по разрушению своей семьи товарищ не имел и оно все так случайно вышло, то не за горами тот час, когда бывшая любовница и бывшая жена поменяются местами, ну или в истории появится кто-нибудь новенький.

## УХОД МУЖЧИНЫ

Реже всего, но все же встречаются, укрепляя во мне веру в то, что этот мир еще можно спасти, жизненные повести, в которых решение об уходе от жены принималось из соображений «не хочу больше всем врать» и без каких-либо внешних катализаторов. Как правило, происходит это довольно быстро. И важную роль играют сразу несколько факторов. Во-первых, разумеется, характер человека и его неприятие собственного вранья и жизни в нем. Во-вторых, первая, очень сильная по накалу волна новой влюбленности. Дамы не успевают оглянуться, как одна оказывается бывшей женой, а вторая обнаруживает себя посреди вполне себе приличных отношений.

Такой вариант развития событий скорее единичен. И рассчитывать на него, если треугольник существует годами, доставляя всем массу невероятных ощущений, почти не приходится. Так как вся эта тема с «ушел-пришел-вернулся» имеет тенденцию затягивать, как болото. Особенно, если падает на благодатную почву личных травм.

Так или иначе, сами по себе внешние катализаторы не являются залогом того, что кто-то куда-то уйдет. Ибо, если он того не хочет, никакие расставания с любовницей и предложения жены о разводе не возымеют эффекта. Так что, к сожалению, в очередной раз приходится принять тот факт, что люди сами будут определять, что им и где делать.

Ну, а о том, к чему готовиться, если это волевое решение принято, читайте в следующей главе.

## ГЛАВА 13

# Я ПРИШЕЛ

Ты сотни раз рисовала в воображении эту картину. Звонок в дверь, открываешь — там он с чемоданом, букетом, носовым платком, пропитанным слезами, стоит. Такой родной, любимый, долгожданный.

Далее, разумеется, немая сцена. Что-то из серии «ты пришел?» — «да, я пришел навсегда». Объятия, поцелуи, секс вперемешку со слезами, желательно прямо в прихожей. Как правило, дальше занавес опускается, титры. В конце титров — сияющая надпись «я победила».

> Кстати, если, представляя эту сцену, ты в приоритете чувствуешь именно удовлетворение от победы над соперницей — расслабься и смело разрывай отношения. Так как от любви к «вашему» мужчине у тебя, скорее всего, мало что осталось.

«Дождаться» (вы чуть позже поймете, почему в кавычках) волшебного появления на пороге может любая из сторон, просто в разное время вашего любовного сериала. Так что глава эта полезна девушкам по обе стороны баррикад.

Итак, он пришел. Сидит на диване, смотрит сериал, встает ночью писать, по утрам занудно просит кашку, а вечером задерживается с работы. Обычная такая семейная жизнь. На первый взгляд.

**Первая эйфория пройдет ровно через несколько дней**. Если она, кстати, вообще будет. Зависит от степени косяков, которые были до исторического события. Если вы дружно и долго существовали в мире единорогов — это одна история. А вот если ты ходила по грешной земле, а ваша волшебная любовь и твой избранник резвились на райских лужайках в его воображении — дело другое. В первом случае воссоединение будет действительно счастливым. Во втором — все несколько сложнее.

Почему? Все просто. В голове пришедшего (или вернувшегося в лоно брака) мужика следующий ход мыслей. **Я сделал выбор и пришел. Я — молодец.** Героический поступок. Все, что ему предшествовало, должно быть стерто из памяти. «Ну, я же пришел — что тебе еще надо?» Из его оперативного доступа прошлое действительно исчезает. А вот из твоего — вряд ли.

Я тут чуть меньше года наблюдала за одной парой. Ну как наблюдала, общалась с женской ее половиной. История там была что надо. Будучи на восьмом месяце беременности третьим ребенком, Олеся узнала, что у мужа уже пять лет как роман на стороне, и более того, пассия его находится ровно на таком же сроке ожидания малыша. Пикантности всему этому добавляло то, что сама она не особо рвалась рожать очередного отпрыска, а наоборот, хотела уже пойти и пожить немного своей жизнью, типа работы, фитнесса, подружек, увлечений. Но, муж буквально валялся в ногах и умолял об еще одном чаде. Мол, дорогая, ну у нас такая замечательная семья, я для вас все-все сделаю, счастье и радость моей жизни. Думаю, не стоит пояснять, в каком состоянии Олеся была после новости о существовании второй вполне себе семьи у своего мужа. Далее начался форменный ад. Иван заявил, что, так как правда открылась, он может уйти со спокойной душой и отправился жить с любовницей. Напомню, оставив жену на последнем сроке беременности. Через три месяца пришел обратно. Потом ушел опять. В общем, примерно с полгода медведь-шатун гулял из берлоги в берлогу, пока наконец не снизошло на него озарение и не понял он, что законная супружница ему милее всего. Вещи были возвращены по месту прописки, и, по его мнению, этого было вполне достаточно для семейного счастья. Олесю колбасило так, что врагу не пожелаешь. Недоверие, постоянное ожидание новых веселых новостей, вполне ожидаемая депрессия. На все попытки побеседовать с любящим и просветлившимся супругом она получала один ответ: «Я пришел к тебе. Что еще надо? Не ной, а не можешь не ныть — пей успокоительное». Мы познакомились с ней как раз в этот период. Она почти не могла говорить, сразу начинала плакать. Причем так искренне и, знаете, вот без этого напускного нытья, просто от отчаяния. Незамедлительно хотелось пойти и убить обидчика. В итоге, послушав год рассказы о том, какой он молодец, что выбрал семью и как они теперь все обязаны ему по гроб жизни, Олеся собралась с оставшимися силами и вытурила сокровище вон. Он, кстати, искренне недоумевает, за что такая жестокость, ведь он же пришел!

Если твой избранник демонстрирует такой подход, то похоже, что ты имеешь дело с игнорированием чувств. И лучше бы в таком случае отношения не строить вовсе. Справится в одиночку с кризисом, а подобные события — это он и есть, невозможно.

Ну, идем дальше.

**Сначала ты вообще будешь не очень понимать, что происходит.** Ожидание того, что вот сейчас он найдет предлог, встанет и учешет куда-то, плотно обоснуется в сознании. Любая отлучка, задержка на работе, неформальная встреча — повод для подозрений. Вообще, хочу я вам сказать, все эти красивые фразы про невозможность жизни без доверия — правда. Ну, точнее как. Сосуществовать-то можно. А вот с гармонией и ощущением тихого счастья будут некоторые проблемы.

Каждый его загон относительно скучания по прошлой жизни будет крайне болезненным. С ярким ощущением неизбежного расставания. Мало кто понимает, что людей даже чисто на рефлексах еще какое-то время тянет к прошлой жизни. Даже в формальных бытовых вопросах. А уж если там есть дети, то переживания усиливаются во сто крат. Мы же сразу все на любовь неземную, внезапно обратно вспыхнувшую, списываем.

В случае, если твоих переживаний за время прошлой жизни накопилось много, наверняка случится следующий логический конфликт. Он будет ждать от тебя расстеленной красной дорожки, ведущей к вашей страстной постели и обставленной по бокам борщом, пирожками и восхищенными взглядами. А ты — бесконечных доказательств того, что он пришел к тебе навсегда и выбрал тебя. К сожалению, если ситуация выбора вообще стояла какое-то время и сопровождалась двойной жизнью, столкновение двух гордых «я» неизбежно. Одно будет ждать ежедневного признания подвига в принятии решения, второе — ровно такого же признания терпения и прошлых обид.

После красивых переливающихся титров, как видишь, вполне возможен еще более закрученный сценарий. Но, так как все, что я описала выше, тебя не остановит, перейдем от страшилок к плану действий.

**Для начала — придется понимать и принимать**. Давай так. Если ты уже позволила им с чемоданом переступить порог своей уютной квартирки, начинай работать с собой. Да-да, знаю, это моя любимая фраза. Придется учиться доверять, давать, поддерживать, утирать сопли, мириться с тем, что накала страстей стало меньше, а быта больше. Период брачных игр (пардон за аллегорию) остается позади.

А ежедневная совместная жизнь несколько отличается от бесконечных качелей.

Кстати, то, какой она может быть, ты знаешь заранее, до его прихода. Просто посмотри на отношения с бывшей женой. Ибо в 90% случаев тебя через некоторое время ждет ровно то же самое. Или не ждет — если подумаете и постараетесь оба.

Честно говоря, я придерживаюсь мнения, что если оба в паре прямо серьезно настроены на то, чтобы построить что-то новое и хорошее, не лишним будет посещать семейного психотерапевта. Во-первых, проработать вопросы доверия. Во-вторых, очень часто выясняется, что отношения между любовниками сочетают в себе 50 оттенков созависимости. Если кратко, то это необходимость постоянно находиться в сценарии «один убегает, второй догоняет». Одна моя подписчица рассказывала, что в ее случае сие присутствует даже в прямом смысле этого слова. Ее ушедшему от жены мужчине так хочется сливаться воедино, что это приводит к бурным ссорам, которые регулярно заканчивают тем, что Оля натурально убегает от него по улицам, а он бежит за ней с криками о невероятной любви. Попытки пожить спокойно и гармонично приводят к тому, что становится стремительно скучно, некомфортно и нет ощущения любви и нужности. Они, кстати, пошли в итоге на терапию и довольно успешно разбираются там со своими проблемами.

**Ему будет тяжело.** Во-первых, он принял очень непростое решение. И там — остался плохим. Если в семье еще есть и дети, то сложно втройне, потому что чувство вины перед ними будет сильным. Даже если до сего момента идеальным отцом его можно было назвать с натяжкой. Во-вторых, смена места жительства и бытового уклада. На самом деле нам только кажется, что все эти повседневные вещи — мелочи, которые меркнут рядом со счастьем просыпаться и засыпать вместе. На самом деле — это стресс для любого человека, а уж для того, кто принял решение под всеобщим давлением, — тем более. В-третьих, как я уже сказала выше, он будет скучать и не будет иметь возможности откровенно сказать об этом. И тут очень важно понимать, что чувство это относится просто к отрезку жизни, а не к конкретному человеку. Посему — подносить платочки и не доставать в моменты кризисов. Просто пусть человек иногда пострадает, выдохнет и вернется мыслями туда, где на него не давят. Если тебе удастся стать на этот период лучшим другом без вреда себе — замечательно. Это то, что ему сейчас нужно: дружба, поддержка, забота, хороший секс. Именно в такой последовательности.

**Тебе будет тяжело,** так как будни не имеют ничего общего с радужной картинкой, которую вы рисовали себе в мечтах. Ну или ты представляла себе, когда думала о возвращении блудного товарища. И есть тотальная разница между горячей перепиской, ожиданием волнительных встреч — и наблюдением за тем, как человека, находящегося рядом с тобой, периодически тянет куда-то в другое место. Очень важно помнить, что это происходит не потому, что ты плохая или недостаточно стараешься. Просто такой этап. И вы его либо пройдете, либо нет.

> Тебе придется очень и очень много работать над собой. Совместные усилия и компромиссы способны снять лишь часть напряжения и проблем. Остальное — сама, сама, сама. Никто, кроме тебя, не сможет преодолеть зажимы, страхи, неуверенность, вырастить доверие. Придется покопаться в себе, возможно, принять свои ошибки и заняться ими. В общем, дел, скажу я вам, — невпроворот.

Худшее, что можно начать делать в этот период, — включать эгоизм и игру на прошлых обидах. Если вы сошлись, значит, начали заново свою, отдельную жизнь. Если ты дала ему шанс, значит, не попрекай прошлым. Прощаешь и принимаешь — закрывай рот и живи дальше. До первого косяка. Ибо если линия поведения начинает повторяться и в чистом листе — пиши пропало, «пацаны, расходимся». С человеком, который демонстрирует завидное упорство в таскании по всем отношениям одних и тех же граблей, рассчитывать на счастливое будущее не приходится.

Кстати, одно из самых распространенных заблуждений — это то, что у вас с ним все автоматически будет по-другому.

Почему? Будем расследовать в следующей главе.

# ГЛАВА 14

# У НАС ВСЕ БУДЕТ ПО-ДРУГОМУ

«Ника, Вы представляете, он меня обманул! Он опять меня обманул! Наш роман длится уже пять лет. И вот, он поехал отдыхать с женой и соврал мне. Я опустошена, ведь я думала, у нас все по-другому».

Подобное я слышу часто и каждый раз еле сдерживаюсь, чтобы не спросить: «А ты думала, будет что?» Некоторое количество лет ты наблюдаешь, как человек обманывает свою жену (не важно, насколько хорошо он это делает), ловишь его на вранье себе самой, и вот, зная все это, искренне недоумеваешь и сидишь в опустошении, при том что он ведет себя весьма привычным образом.

А все потому, что в подсознании ты совершенно уверена в том, что «у нас все будет по-другому». **И эта уверенность касается не только любовниц, но и вообще всех, кто умудряется связываться с сомнительными личностями.**

Вот, например, знакомая моей подруги жалуется ей с искренним удивлением: «Я даже не представляла, за какого м...ка вышла замуж! Я сижу дома беременная, а он только и делает, что шляется по барам и клубам. Что с ним случилось?» Тот факт, что в момент знакомства с ней (к слову, в баре) молодой человек находился в процессе развода с первой женой, беременной вторым ребенком, ее на светлые мысли не наводит.

Наверняка все вы знаете замечательную сказку про красавицу и чудовище: кто-то читал, кто-то смотрел мультик. Я на всякий случай напомню вам историю в своей интерпретации.

> В страшном темном замке жило ужасное чудище, все такое в чешуе, шерсти и с клыками. Ходило, капало слюной и ело милых маленьких мышат в марципане. Но на самом-то деле это была не адская тварь, а прекрасный принц, которого заколдовала страшная ведьма (думаю, расстановка ролей вам уже становится понятна). И вот, в его жутком логове, где он, несомненно, очень-

очень страдал от своей чудовищной сущности, появилась прекрасная принцесса. О, как она отличалась от других принцесс: и умна, и красива, и борщи с тефтельками готовила. А как она пела, как танцевала, какой свет излучала вокруг себя! В общем, любо-дорого посмотреть, сама бы на такой срочно женилась.

Но самое важное, что именно эта прелестная девушка обладала волшебным свойством — только она одна могла расколдовать прекрасного принца и высвободить его из чудовищной оболочки. Конечно, для этого нужно было потерпеть слюни, размазанные по стенам, поедание мышей, да и пахло существо не особенно приятно. Зато потом чары рассеялись, и перед самоотверженной девушкой предстал мужчина мечты. И замок тоже сразу стал волшебным дворцом, а сожранные мыши получили реинкарнацию. Красота, торжество любви, прекрасная принцесса — молодец.

»

**Жалко, что в жизни так не бывает.**

Понятно, что нам всем хочется быть неповторимыми и волшебными нимфами. И я даже больше скажу: мы все ими и являемся. Только вот превращение чудовища обратно в прекрасного принца никак не зависит от нашей уникальности.

С праведного пути к адекватному восприятию людей нас часто сбивают несколько мифов из вышеобозначенной сказки.

## Любовь спасет мир

Первый — мой любимый — про целительную силу любви. Вера Брежнева неустанно напоминает нам о том, что это светлое чувство спасет мир. А уж твоего избранника и подавно. Работает механизм следующим образом: когда он почувствует, как сильно я его люблю, когда мы наконец-то будем вместе полноценно и никто не будет мешать, когда мы заведем собаку, ребенка, съедемся в одну квартиру — все будет по-другому. Он перестанет делать разное странное и обидное (тут можно подставить свои варианты, начиная от вранья, заканчивая насилием), ведь моя большая любовь исцелит его, и чудовище превратится в человека.

Или же наоборот: он так сильно полюбит меня, что у чар просто не останется шансов. Кстати говоря, это один из самых распространенных мифов о любви: многие уверены, что любовь кардинально меняет человека. Якобы человек, пивший вискарь литрами, шлепавший по попе всех симпатичных женщин, лжец, изменщик и мучитель котят, может стать совсем другим, просто полюбив. На самом деле это не так — мы остаемся ровно такими же, какими и были. Конечно, какие-то привычки могут меняться, но «расколдоваться» из одного индивидуума в совершенно другого не может никто.

## Если видеть в нем только принца, то рано или поздно он им станет

Идем дальше.

Еще один камень, даже скорее валун или глыба, который загораживает нам реального человека, — постулат о том, что если видеть в нем только принца, то рано или поздно он им и станет. Мол, никто не разглядел в нем тонкую душевную организацию, а я вот смогла. И поэтому все будет по-другому.

Масла в огонь безусловной любви, а это именно про нее, подливают все мотивирующие статьи на тему того, что женщина должна восхищаться своим мужчиной, и вот тогда он точно станет большим и прекрасным человеком.

Давайте пофантазируем. Если наш избранник целыми днями режется в компьютерные игры и вообще не собирается вставать с дивана, станет ли он олигархом от того, что мы будем каждый день восторгаться его деловыми качествами? Сомневаюсь.

Наши избранники (не важно, какого пола, кстати) тоже часто усугубляют ситуацию, говоря о том, что если твоя любовь настоящая, то она будет жить, каким бы чудовищем он ни был. В ту же копилку — «полюби меня черненьким, беленьким кто угодно сможет».

Безусловная любовь, в которую часто пытаются скатиться участники любовных треугольников, на самом деле в мире существует лишь между родителями и детьми. Между двумя взрослыми она, в гармоничном понимании, невозможна.

Потому что если ты требуешь такой любви по отношению к себе, то всегда тебе будет ее недостаточно. А если ее требуют от тебя, то придется мириться с мучительными и неприемлемыми вещами.

## Если будешь правильной, все получится

О последней истории из жизни красавиц и чудовищ я еще не раз расскажу, поэтому сейчас буду лаконична. Речь идет об уверенности в том, что если ты будешь правильно себя вести, то он станет принцем: уйдет от жены, бросит любовницу, перестанет бухать, нюхать кокаин и так далее. Это довольно распространенный способ получить иллюзию власти над окружающими и не заморачиваться с их самостоятельностью и индивидуальностью. Вот тут и начинаются курсы гейш, кулинарии, тренинги женственности и «как влюблять в себя мужчин». Но, вопреки ожиданиям, ничего не происходит — чудовище как устраивало цыганочки с выходом, так и продолжает, нанося каждый раз удар за ударом по самооценке. Из этой ловушки очень и очень сложно выбраться, потому что если ты откажешься от этих отношений, то получится, что принцесса-то ты ненастоящая. Ведь не справилась! Есть, конечно, и плюсы в виде приобретенных навыков и самосовершенствования.

Я сама долгое время была абсолютным рекордсменом по лепке людей из того, что было. Не останавливали меня ни откровенные личностные проблемы, ни алкоголизм с наркоманией, ни полное несоответствие тому, кого я мечтала видеть рядом с собой. Мне очень хотелось быть немного волшебницей и заниматься чудесами.

Например, прямо на первом курсе института, так сказать, только выйдя в большое плавание, я влюбилась в мальчика Никиту. Порыв моих пламенных чувств не остановили ни его серьезное увлечение компьютерными играми, ни бесконечные походы по ночным клубам, ни даже пристрастие к легким наркотикам. Хотя сама я выросла в семье с мягко говоря негативным отношением к подобного рода развлечениям. Даже тот факт, что ни с кем отношения дольше месяца у него не держались, не натолкнул меня на мысль о том, что что-то тут не так. Какой там! Его ведь нужно было спасать. Вытаскивать из пучины и помогать избавляться от чар. Ведь на самом деле, в перерывах между тусовками, коксом, отходняками и прочими милыми вещами, он был нежным, прекрасным принцем.

Нужно отдать мне должное, я подошла к вопросу с полной самоотдачей. Ума-то не было, а сил — хоть отбавляй. Три года я сражалась с его демонами разными способами. Придумывала новые увлечения, искала ему работу, изучала материалы по психологии борьбы с пристрастиями и так далее. И была точно уверена: наша волшебная любовь способна сделать из него человека. Не сделала.

Потом я вписалась в роман с весьма известным рок-музыкантом. Учитывая особенности моего характера, то был крайне странный шаг. Ибо два четких лидера, один из которых еще и с элементами звездной болезни, в одной паре — эпик фейл. Да и были у него уже примеры подобных романов, ничем хорошим не закончившиеся. Плюс безвременно покинувшая этот мир жена в анамнезе и, разумеется, алкоголизм в придачу. Он бесконечно просил сделать что-нибудь, дабы он смог меня полюбить. Разве ж нужно просить о таких вещах дважды человека, который очень хочет быть не таким, как все? Конечно, я была уверена, что у нас будет все не так, как было с тысячей других. И что я такая особенная и так его понимаю. Все свое лидерство я быстренько засунула куда подальше и старательно изображала немного загадочную, но очень верную и покорную фею. Как за это не полюбить? И самое забавное, что полюбил. Поэтому и ушел. Со стенаниями на тему того, что все эти чувства — очень страшно, и лучше как-то без них.

Первый мой муж мне не понравился сразу. Я, кстати, до сих пор пытаюсь себе втолковать, что нужно верить первому впечатлению. Оно меня никогда не подводит. Но нет ведь, лезу перепроверить, а там уже все как закрутится потом… В общем, он был слишком уверен в себе, напорист, крайне общителен. Вроде, чего ж в этом плохого-то, яркий, харизматичный мальчик. Но что-то меня настораживало. Потом, когда через полтора года он сначала предложит мне сделать аборт, а после того, как судьба решит все за нас, пойдет изменять, станет ясно: тревожилась я не просто так. Тем не менее, как любит говорить моя подруга, продолжала спускаться в подвал под тревожную музыку. В его прошлом были сплошь брошенные или преданные девушки. Причем в довольно большом количестве. Но у нас-то ведь все по-другому. Он ведь так сильно меня полюбил, что склонность к тирании, отрицанию чужих чувств и рассадник запасных девушек немедленно исчезнут. Не исчезли. Я эти отношения, честно говоря, до сих пор вспоминаю с содроганием. Столько в них было некрасивого и жестокого. Но я исправно верила, что сейчас любовь животворящая все исправит.

Мой второй муж был молчалив, крайне скуп на слова и какие-либо проявления чувств и, разумеется, с проблемными отношениями в анамнезе. Дабы вы понимали всю абсурдность ситуации, для меня архиважно, чтобы человек был искренним и открытым в выражении своих эмоций. Если я не получаю обратной связи от партнера — начинаю натурально сходить с ума. Но тут я подумала, что это просто потому, что он еще не раскрылся. А вот как полюбит меня окончательно, как раскроется, так сразу все будет как надо. Ввиду того, что теперь в моей жизни он проходит как «бывший муж», несложно догадаться, что прогноз мой с треском провалился.

В общем, все эти прекрасные истории в итоге привели меня к выводам и рецептам, которыми я с вами и поделюсь.

Во-первых, лучшее, что можно сделать для себя и своей любви, — это осознать, кто там вообще рядом с тобой находится. Именно сейчас. Не то, каким он там станет через год, пять, десять, когда уйдет, придет или перестанет что-то делать, а вот именно сейчас. Не исключено, что это не принц. Любишь ты его таким? Именно с таким хочешь быть? Смотри внимательно. Возможно, он врунишка, или боится принимать решения, или не умеет что-то делать, давать, говорить. Если все ОК, то, собственно, бери и радуйся, не удивляясь странным чудовищным закидонам. Если нет, то, вероятно, любишь ты какую-то проекцию в своей очаровательной голове. Она (проекция) может быть всем прекрасна. Но столкновения с реальностью неизбежны и несут с собой мучительную боль.

Во-вторых, придется принять и осознать одну важную истину: идея заводить с кем-то отношения в надежде, что получится его изменить, провальна априори.

> Люди не способны меняться под воздействием романа, любви, окружающих и их хорошего или плохого поведения. Единственным толчком для перемен может быть только личное желание. Проще говоря, если в какой-то момент человеку надоело жить двойной жизнью, он в своем следующем браке так делать не будет. Если же не надоело и он свои собственные проблемы не решил — история повторится.

И это никак не зависит от способностей женщины.

И закончу, пожалуй, одной из моих любимых фраз: **«Чтоб не разочаровываться, не надо очаровываться»**. Иначе может быть больно, а иногда и опасно.

# ГЛАВА 15

# ОТНОШЕНИЯ, КОТОРЫЕ НАС УБИВАЮТ

Часто наше стремление управлять миром и людьми, о котором шла речь в прошлой главе, заводит нас в крайне коварные ловушки. Одна из них — деструктивные отношения. По их принципу существуют многие «треугольные» отношения.

> Я умираю. Просыпаюсь — умираю. Засыпаю — умираю. Больше не могу. Не могу так. И не так тоже не могу. Никак не могу. С ним — невозможно. Давит, сводит с ума, что такое ощущение комфорта — давно уже забыла. Без него — представить страшно. Как зависимость, как наркотик. Даст дозу — могу дышать. Пропускаю — схожу с ума.

Примерно так на уровне ощущений выглядят деструктивные отношения.

Проще говоря — отношения, которые нас убивают.

Где-то в идеальном мире любовь приносит людям только радость и счастье. Никакого негатива, сплошной позитив и единороги на зеленых лужайках у лазурных озер. В реальности любые человеческие взаимоотношения, будь то любовная связь или дружеская, да и родственная тоже, являются дорогой с ухабами. Есть участки с отличным асфальтом, а есть с гравием, на котором трясет будь здоров. Но «потрясет и выровняется» и «колбасит бесконечно» — две разные истории. И мы сегодня про вторую.

В деструктивные отношения умудряются вляпаться даже самые сильные и уверенные в себе женщины. Ибо действие (ну или бездействие) мучителя цепляется за каких-то внутренних демонов, которые начинают радостно расцветать, получая пищу. Я сейчас, разумеется, не про экзорцизм. А про детские травмы, какой-то опыт в прошлом, не пережитые истории, которые стремишься всеми силами закончить.

Начнем с главного — как вообще понять, тебя действительно медленно убивают или все же есть некоторое преувеличение и особенности твоего восприятия.

Вредные отношения обладают рядом классических признаков, которые довольно легко заметить. По отдельности они особой опасности не представляют и хорошо реагируют на корректировку. А вот если обнаруживаешь три и более — поздравляю, милая, ты реально попала.

## РЕВНОСТЬ

Беспочвенная и доведенная до абсурда. Моя подруга однажды, придя домой, сказала своему тогдашнему молодому человеку: «Вот представляешь, в подъезде уже батареи теплые, а у нас еще нет». А в ответ получила допрос с пристрастием и скандалом на тему «Что это и с кем она делала в подъезде, коль успела заметить, какие там батареи».

## СТРЕМЛЕНИЕ К КОНТРОЛЮ

Недалеко от ревности, а, как правило, с ней в паре наш второй пункт — **патологическое стремление к контролю**. Всего. Где ты, с кем ты, поминутный отчет, общая почта, проверка сообщений и так далее. Ни малейшего свободного места. Отклонение от курса, за который отчитывалась заранее, — расстрел.

## ИЗОЛЯЦИЯ

Третьим пунктом в логической последовательности располагается **изоляция**. Это про «не стоит тебе общаться с Машей — она глупая», «не дружи с другими мальчиками, я ревную». У меня когда-то работала девочка, молодой человек которой впадал в дикую истерику, если кто-то из коллег звонил ей после ухода с работы, причем по рабочим вопросам. А когда нам невероятными усилиями как-то удалось вытащить ее на корпоративные посиделки в бар, он звонил натурально раз в три минуты, требовал немедленно приехать домой и угрожал покончить жизнь самоубийством, так как ее поход потусоваться расценивался им как демонстрация безразличия к его персоне.

Этот пример, конечно, крайняя стадия. Как правило, все происходит плавно и медленно. Постепенно все твои друзья становятся плохими и ненужными, родственники — занудами, коллеги — просто недостойными времени и внимания. И все приходит к тому, что он — свет в окошке и единственный человек на этой земле. Девочки, попавшие в эту ловушку, пишут мне об одном и том же — кроме него, у меня никого нет.

## Обесценивание

Далее — пункт номер четыре, **обесценивание**. История, которую я прошла когда-то лично, и реально по итогам чуть не уехала в клинику неврозов. Любые твои потребности и чувства, кроме тех, что удобны «мучителю», сводятся на нет. Более того, жестко критикуются вместе с твоей персоной. Борщ невкусный, щи тоже хреновые, да и вообще хозяйка ты не очень. В работе особых высот не достигла, да и попа толстовата. Если тебе стало грустно — лови лекцию о том, каким негативным и отталкивающим человеком ты являешься. И с этим надо срочно что-то делать. Потому что женщина должна сиять. Всегда. И радоваться. А ты не такая, плохая.

Попытки поговорить про «как бы сделать, чтоб было комфортнее всем» приводили к новой волне критики — «ты сама не знаешь, что тебе надо, ты постоянно ноешь, и вообще — я тут сижу с тобой, что еще нужно». И ключевая фраза — «кому ты такая, кроме меня, нужна». Или «куда ты денешься».

Ввиду того, что я обладаю синдромом отличницы, в какой-то момент времени мне стало казаться, что реально все так. И я негативный и серый, да какой там серый — черный человек, который не достоин ничего, кроме как просто довольствоваться сидением в одной плоскости. Более того, я пошла к психотерапевту с запросом — помогите мне, пожалуйста, стать позитивной и сияющей и всегда радостной просто так. Слава богу, специалист мне попался хороший. Отношения, как вы уже догадались, я разорвала.

## Критика

Кстати, о **критике**. Ее **публичное выражение**, наш пятый пункт — один из ярчайших симптомов разрушительных отношений. Как-то раз в компании знакомых один из мужчин прилюдно решил покритиковать свою жену за их скудную сексуальную жизнь. Дословно не помню, но что-то в стиле «вот, мол, Ира совсем фригидная стала, секс совсем хреновый». Несчастная Ира при этом сидела рядом, потупив глаза. И молчала. Публичное унижение — один из мощных способов подавить человека.

## Виновата всегда ты

Как и **способность оборачивать любую критику в его адрес против тебя** — пункт номер шесть, бессменный спутник деструктива. Например, он не вынес мусор, потому что опаздывал из-за тебя. Или сорвал свидание, так как распереживался из-за твоего неправильного тона. Любой укор, даже мягкий и ненавязчивый, вызывает волну моральных пинков в твой адрес. По итогам, что бы ни делал герой романа, виновата в этом будешь только ты.

## Ложь

**Ложь** — тоже серьезный признак опасной любви. Врет мучитель, как правило, напропалую. Но самое интересное начнется, если его поймать. Во-первых, он сделает все, чтобы убедить тебя: ты параноик и психически нестабильна. Показалось, привиделось, придумалось. Не пойти ли тебе, милая, полечиться? Во-вторых, если списать на это не получится, найдет вариант обвинить тебя же. Мол, я тебе вру, потому что ты истеричка. Или ты вынудила меня изменять и врать тем, что варила плохую солянку.

Так как деструктивные отношения близки по своей сути к маниакальной истории, продолжаться они могут сколь угодно долго. До тех пор, пока жертве не надоест быть таковой. Иногда очень удобно быть маленькой бедной зайкой, которая стоически терпит моральные (а в плохих случаях и физические) страдания. Решений принимать не надо, ничего делать не надо, можно исключительно жаловаться и страдать. И все кругом должны спасать. Желательно только словами поддержки, ободрения, без конструктива и попыток реально что-то изменить. Ибо если кто-то посмеет покуситься на личность мучителя, пусть даже словесно — окажется ужасным человеком. Жертвы могут бесконечно говорить о том, какую боль приносит их спутник, но если попробуешь разъяснить им это со стороны — кидаются яростно защищать. Со временем контроль за жизнью полностью переходит в руки другого человека, и мы получаем в сухом остатке очень унылое и безвольное существо.

Иногда случается так, что мучитель и жертва меняются местами. И начинает казаться, что вот они, долгожданные изменения. На самом деле — нет. Люди все те же, сценарий все так же токсичен, просто роли ненадолго поменялись. Один страдает, второй наслаждается.

Собственно, ключевой вопрос — что делать, если ты обнаружила у себя полный список и приходишь к мысли о том, что попалась. Это, пожалуй, тот единственный случай, когда я категорично говорю — бежать. Бежать прочь и без оглядки. Не можешь бежать — уползай. Пока окончательно не переломали ноги и крылья.

# ГЛАВА 16

# МОЙ АД

Я до сих пор отлично помню это состояние. Когда стоишь у окна на двенадцатом этаже и тупо часами смотришь на жизнь, которая там внизу течет. А у тебя нет сил не то что выйти из дома, даже отойти от этого окна. И вот ты прилипаешь к стеклу и, кажется, что вроде находишь этот пресловутый пятый угол. Хотя бы на какое-то время.

В деструктивных отношениях я провела два года. И это был ад. К тому моменту, когда я приняла решение о разрыве, сил уже не осталось почти никаких. Я могла неделями не отвечать на звонки друзей и родных, будучи просто не в состоянии слышать чьи-то голоса и хоть как-то поддерживать диалог. Единственное, на что я отвлекалась, была работа. Ведь благодаря заслугам в общем бизнесе я могла получить от него похвалу или даже признание в любви. Доходило до смешного. Я к нему, например, счет для клиента на оплату подписать, а он, если доволен суммой сделки: «Молодец, люблю тебя». В другие моменты этого «люблю» я уже не слышала.

Иногда я думала, что, возможно, проще покончить с собой, чем в очередной раз попытаться все это распутать и привести в приличный вид.

Начиналось у нас все красиво и замечательно. Он яркий, интересный, умный, добродушный. Влюбился с первого взгляда и окружил каким-то невероятным вниманием. Он не отходил от меня ни на шаг. И через две недели я переехала жить к нему. Два месяца мы провели в какой-то волшебной сказке. Расставались только на время работы и то старались сократить его до минимума. А потом выяснилось, что у человека несколько придуманная биография. Ну, то есть ключевые моменты типа возраста и жизненного пути он мне преподнес в несколько искаженном виде. Затем оказалось, что пожениться в запланированную дату мы не сможем и придется немного отложить. А вскоре в один день человека как подменили. Грубость без объяснения причин, отказ от общения, полное игнорирование всех вопросов. На мои попытки поговорить я получала дежурное «не выноси мне мозг» и «меня не волнует, что ты там переживаешь, не нравится — не держу». Я абсолютно не понимала, что происходит, страшно переживала. Но, так как уж очень убедительно меня просили не доставать и пойти вон, решила, что, видимо, правда, имеет смысл. Стоило мне только начать собирать вещи, как нежный принц возвращался на арену, и любовь мгновенно сияла новыми красками. Через пару месяцев ситуация повторилась, а потом еще и еще раз. В периоды просветлений все было довольно неплохо, но, скорее, ввиду того, что я не пыталась донести что-то про недопустимость такого поведения. Как только я пыталась поговорить о том, что меня беспокоит или тревожит, сразу же случался очередной кризис.

Довольно скоро к этим развлечениям прибавилась постоянная ложь. И одновременно с ней — жесткий контроль меня. Где, с кем, зачем. С этой не дружи, с этим не общайся. Любые мои идеи или начинания, не связанные с общим бизнесом, давились на корню. Все они были никчемными, провальными, никому не нужными. Одновременно с этим я с завидной регулярностью прослушивала, что стала какой-то неинтересной, несамостоятельной. Мол, раньше вот глаза горели, а сейчас совсем никакая.

Мой муж постоянно внушал мне, что все наши проблемы и размолвки — только моя вина. Если бы я не нуждалась в его времени, его поддержке, каких-то проявлениях любви, да хотя бы элементарном времени вдвоем, то никаких кризисов и ссор не было бы. Мои реакции на обидные слова или поступки вызывали лишь еще большую агрессию в мою сторону. Он старательно вкладывал мне в голову, что только от меня зависит, как мы будем жить: счастливо и спокойно или же вообще разойдемся.

Вариант с «разойдемся» был для меня тогда подобен смерти, ведь я так его любила, так любила. И пыталась стать удобной. Позитивной, ни в чем не нуждающейся, веселой птичкой.

Не работало.

Мне натурально стало казаться, что чем больше терпишь и прощаешь, тем лучше будешь в глазах человека. Тем больше он будет любить тебя, ведь где еще найдешь такую преданность.

Не работало.

Он все равно продолжал врать, пропадать, а вскоре совсем чужие и незнакомые люди стали сообщать мне о его изменах. На прямые вопросы либо изворачивался, либо довольно успешно выставлял виноватой меня. Мол, вот, что ты лезешь ко мне со всякими глупостями, видишь, мы опять начинаем ссориться, и я теперь не хочу идти домой. Сиди одна и думай над своим поведением. И я сидела. Иногда сутками. Пыталась найти оправдания ему и придумать, как бы еще вывернуться, чтобы все у нас стало хорошо.

Однажды, выслушав очередной пассаж о том, что все наши проблемы, и в том числе моя неудавшаяся беременность, исключительно из-за моего негатива и того, что я серый и неинтересный человек, я решила пойти к психологу. Слава богу, мне повезло. Терапевт, к которому я попала, оказался хорошим профессионалом. Состояние, в котором я пришла к нему, было, мягко говоря, плачевным. И в прямом, и в метафорическом смысле этого слова. Все что я могла — рыдать и просить сделать из меня позитивного человека. Хватило трех сеансов, чтобы стало ясно: со мной все хорошо, с отношениями не очень.

И я поняла, что надо отползать. Что если сейчас я не начну готовиться к уходу, я окажусь в психушке. Психотерапию я тогда вынуждена была прервать, но понимания того, что со мной так нельзя и никакая, даже самая большая любовь того не стоит, было вполне достаточно. Возможно, мне повезло еще раз, и в моем характере есть достаточно сил, чтобы, получив осознание прямой угрозы, начать защищать себя всеми способами.

Начала копить деньги, скрывать какие-то доходы, брать подработки вне нашего бизнеса, искать квартиру и оповестила друзей о грядущем событии, рассказала, чем и как они могут помочь. И через два месяца сказала ему, что все, я пошла.

Правду говорят — чтобы узнать человека, нужно с ним развестись. Разрыв наш был весьма «кровавым». Не в смысле эмоций, нет. Тут как раз, на удивление, все было очень спокойно и даже безболезненно для меня. Жизнь в аду была страшнее, чем итоговый уход. Но, мой некогда любимый и близкий человек приложил все усилия, чтобы оставить меня без всего. Ушла я с одеждой, кастрюлей и собакой. Сменила элитную квартиру на совершенно разбитую, с какой-то доисторической газовой колонкой в ванной. Такого вида, что каждый раз, принимая душ, я гадала, не рванет ли она сейчас. И была счастлива. Знаете, что удивительно? Я ни разу даже не заплакала, не провела ни единого вечера в грусти, вспоминая счастливые дни. Не было больно, не было тоскливо и дышалось наконец-то очень легко.

Потому что никто больше не рассказывал мне о моем бесправии, о том, какой я ужасный ине интересный человек, с моего компьютера и телефона исчезли программы слежения, и мне самой больше не нужно было искать невероятные оправдания неожиданным презервативам в его карманах. Я до сих пор вздрагивая вспоминаю его крики о том, как я его за…ла, то, как он не брал трубку, пропадая где-то ночью, как, глядя мне в глаза на новость о беременности, сказал: «Ты станешь совсем клушей, давай сделаем аборт», как стоило мне выйти куда-то, сразу начинались допросы с пристрастием, контроль почты, переписок, постоянное ограничение в деньгах, как рыдала воем часами напролет. Несмотря на то, что все это было страшно, больно и отвратительно, я честно рада тому, что этот опыт был. Ибо больше я никогда в жизни не позволю вот так разрушать себя и свои границы.

Кстати, мне регулярно желают оказаться на месте той, кому изменяют, и испытать боль, которую чувствует обманутая женщина. Была, чувствовала, проходила. Вероятно, именно поэтому не могу понять, как можно годами знать, терпеть и возводить сохранение «семьи» в великий подвиг.

## ГЛАВА 17

# СПАСТИ СЕМЬЮ ЛЮБОЙ ЦЕНОЙ

Есть такие женщины — они терпят. Искренне считая, что это и есть высшее женское предназначение. Их безошибочно можно выделить в толпе или на фотографиях. Потухшие глаза, немного потерянный взгляд, опущенные плечи, застывшая маска на лице. Как-то, рассматривая снимки жены Андрея, я обратила внимание на то, как эта женщина изменилась буквально за несколько лет. Из весьма симпатичной и приятной девушки она превратилась в отчаявшегося человека, загнанного в угол. Это выражение лица ни с чем не спутаешь. Смесь постоянной боли и гордости за то, что ты стоически ее переносишь. Она терпит. Героиня, без лишнего сарказма.

С чего я вообще полезла смотреть ее фото? Ну, во-первых, я — человек, и ничто из нашей натуры мне не чуждо. Например, любопытство. Во-вторых, она так усиленно мне звонила, что не заинтересоваться было сложно.

Такие женщины принимают все: измены, унижения, пьянки, бесконечные командировки, агрессию, у кого-то доходит и до побоев разной степени тяжести. И это свое терпение они считают высшим проявлением любви, с каждым днем уничтожая себя все больше и больше. Усиленно названивая мужу, который — она знает — сейчас у другой бабы, принимая его в свою постель после, замазывая синяки под глазами, выслеживая и предъявляя доказательства в надежде, что это изменит ситуацию. Но как только представляется возможность избавиться от такого замечательного груза, они вцепляются в него мертвой хваткой.

# Операция «Возвращение в семью»

## Слова и уговоры

На первой стадии операции «возвращение в семью» начинаются судорожные попытки напомнить о счастливом дне свадьбы, знакомства, рождения Васеньки/Машеньки и моральный шантаж «я всю жизнь на тебя, козел, положила». Затем добавляются увещевания на тему «ей нужны от тебя только деньги, а я могу и голодать», «она тебя бросит, у тебя пузо», «вот если с тобой что случится, сразу махнет хвостом». Ну и далее по тексту.

В обязательном порядке рассматривается визуальный и интеллектуальный портрет «крашеной сучки». Каждый прыщик, складочка, легкая кривизна носа — или, если судьба будет благосклонна, даже ног — будут подробно представлены и благоверному, и всем окружающим. Я вот раньше думала, что такое пристальное изучение — удел звезд. Ан нет. Терпеливые жены легко разложат и простую смертную на атомы и молекулы. Меня, например, именовали не иначе как «мартышка» или «выдра».

## Мнимые болезни

Двигаемся дальше. К болезням. Поняв, что манипуляции словами и воспоминаниями не работают, обманутая девушка начинает болеть. Всем. Неведомая хворь нападает внезапно и не отпускает. Жена любовника одной моей подруги умудрялась проворачивать невероятные вещи. Названивала ей в бодром здравии и орала, разбрызгивая яд, о неведомых половых инфекциях, которые должны уже передаться «девке», и одновременно писала страдальческие смс подлому изменщику с историями про две «скорые», которые дежурят под окнами. Видимо, хламидиоз имеет ряд доселе неизвестных проявлений. А еще одна хорошая жена полгода имитировала перелом колена. Историями о вымышленном раке, проблемах с сердцем и внезапной падучей болезни кишат бабские форумы. О вреде наговора на себя, кажется, никто не слышал.

Со временем проясняется, что мужик-то не совсем дурак и отличить симуляцию все же может (слава богу, что в вопросах оргазмов они менее сообразительные). И тогда в ход идет любимый метод.

## Шантаж

Каждый раз, когда слышу что-то из серии «а я ему пригрозила, что заберу детей, и он никуда не рыпнулся», хочется дать в нос. Хотя насилие приемлю только в форме сексуальной игры. Откуда, откуда рождается эта гениальная мысль о том, что любовь к себе можно вызвать угрозами? Кажется, в этом есть что-то от маниакального синдрома. Привязать жертву наручниками к батарее и ждать от нее большой и чистой любви.

Для меня всегда было загадкой, как вообще можно хотеть, чтобы кто-то общался с тобой не по доброй воле. А тем более жил. Любовь по природе своей не признает какого-либо насилия над личностью.

Так вот, терпеливые жены начинают методично перебирать слабые места. Дети, бизнес, недвижимость, репутация. Адвокат, которая вела мой развод, рассказывала о даме, которая, узнав о планах мужа уйти, взяла и накатала заявление о педофилии. Мотивировала тем, что лучше пусть сядет, чем к другой уйдет. Настоящая любовь, какие уж тут споры. Мужик, кстати, оказался с яйцами не только ниже пояса и ушел. А потом раскатал идеальную жену в суде. Насколько нужно ненавидеть собственных детей, чтобы из-за личной драмы препятствовать их общению с отцом?

## Общение с любовницей

Далее по плану — звонок грязной любовнице. С посылом — бабы сами мужика поделят. Как теленка Гаврюшу. «Моя» жена, например, усиленно пыталась рассказать, что наш рыцарь на деле — полное ничтожество. И решения, мол, принимать сам не умеет, и вообще плывет по течению, и не хорош собой, и толку от него не будет. Дословно — полное чмо и ничтожество. Зачем он тебе такой, оставь его мне — звучало через предложение. Вообще, через год существования в статусе любовницы я искренне полюбила вопрос: «А что у вас с моим мужем?» То есть без моего объяснения непонятно, да? Такое впечатление, что абонент на другом конце провода надеется услышать что-то типа «ой, да ничего, мы с ним просто один кружок шахмат посещаем». А смс — это так, просто репетируем постановку в драмкружке. Какие, блин, вопросы могут быть, если в телефоне своего мужика ты находишь горячую переписку о большой любви, планах, всяческих эротических фантазиях? Не понятно, что там у кого с кем?

Парадокс, но терпеливые женщины до последнего будут перед собой и всем миром искать внешнее оправдание того, что им изменяют. Разумеется, его усиленно соблазняли, а возможно, даже приковывали наручниками к батарее, пытками вызывали признания и эрекцию. И, как говорилось в одной из миниатюр Comedy Club, «брали за таз и в себя, в себя». Угу, именно так мы, ненасытные куртизанки, и поступаем.

Помню, как-то я с моей подругой смотрела, прости Господи, шоу «Битва экстрасенсов». Так вот, в ходе испытания им нужно было определить пару, в которой случилась измена. И у кого-то хватило ума ляпнуть, что причиной-то был приворот. Боже ж мой, нужно было видеть это выражение удовлетворения на лице обманутой супруги. Вцепилась в версию мертвой хваткой. Да что там «Битва экстрасенсов». Ваша покорная слуга, по заверениям все той же официальной супруги, опаивала Андрея особенным зельем, из-за которого он терял способность здраво мыслить и впадал в полное беспамятство.

> «Спасающие семью» готовы принять любые оправдания, кроме одного: их просто больше не любят, не хотят, не боготворят. И есть тому вполне логичное объяснение. Если осознать тот факт, что твой муж сам встал и пошел устраивать любовь на стороне, то злость в отношении него достигнет такой силы, что простить его станет просто невозможным. Если признать, что он сам, без каких-то либо воздействий и уловок, выбрал другую женщину, придется столкнуться с фактом того, что, возможно, ты что-то не доработала. Придется что-то делать. А делать — не хочется.

**Я не спорю, это страшно. Страшно, когда ты прожил с человеком некоторое количество лет, родил ему детей, а потом вдруг оп! — и «я тебя больше не люблю, я теперь люблю Нику».** Но, дорогие мои, есть ведь такие важные качества, как гордость. В отсутствии которой, кстати, очень любят упрекать любовниц. Женская, красивая, статная гордость, которая не позволяет опускаться до бабника.

Как-то на одном из форумов в теме, где жарко обсуждались взаимоотношения между женой и любовницей, я попыталась высказать эту позицию. На что получила — а что же делать жене, накрыться паранджой и всех отпустить с миром? Как это так?! Ведь это же ЕЕ муж. И мое любимое: «У него стоит штамп в паспорте — значит, его время и его член принадлежат жене».

Откуда у нас всплывают эти вот пережитки рабовладельческого строя? Как человек в принципе может кому-то принадлежать, особенно по логике штампа в паспорте? Чего удивляться изменам, если принимать мужика за домашнее животное? Разумеется, он пойдет туда, где будет чувствовать себя человеком. Свободным.

Героини этой главы гордятся своим терпением. И, сидя в кругу таких же одаренных особой сдержанностью подружек, они чуть дрогнувшим голосом говорят: «Зато я сохранила семью». Товарки одобрительно кивают, разве что не хлопают: да-да, ты молодец, любой ценой сохранила «очаг». Но почему-то мало кто замечает и затаенную боль в глазах, и дрожащий подборок, и это мерзкое выражение болезненного торжества на лице. А оно ведь так не идет женщине.

Нужны ли отношения, в которых требуется каждый день вставать и перебарывать себя? В попытках прощения, терпения, принятия? Зачем в принципе нужен мужчина, внимание которого приходится делить с другой женщиной и, хуже того, вымаливать или получать силой?

Как странно, что никто в этих «спасенных» браках даже и не задумывается, что жизнь за его пределами есть не только для мужа. И не принимает во внимание то, что в большинстве случаев постоянные измены на ровном месте (в том числе и к вопросу о бритых ногах) не случаются. Есть у меня подозрение, что, если изгнать из головы светлую мысль «женился — значит, не рыпнется, родила — значит, обязан», шансы на действительно счастливую семейную жизнь без вмешательства «крашеных сучек» значительно повышаются.

# ГЛАВА 18

# О ДЕТЯХ

Долгое время я избегала обсуждения детской темы, так как в нашем обществе считают, что если своих нет — ничего не знаешь и не понимаешь. Тот факт, что из своих часто вырастают настолько травмированные всезнающими родителями, что психотерапевты хватаются за голову, никого не смущает. Но, коль уже в прошлой главе я немного затронула тему шантажа детьми, предлагаю ее все же продолжить.

Дети всплывают практически в каждом сообщении, которые в избытке присылают мне в поисках советов или поддержки. И иногда у меня волосы встают дыбом от того, что с ними творят их собственные матери. Маленькие люди становятся орудием, манипуляцией, мячиком, который безжалостно гоняют по семейному полю. Причем грешат подобным женщины разных социальных статусов.

# НЕ ЛЮБИШЬ МЕНЯ — НЕ ПОЛУЧИШЬ ДЕТЕЙ!

Одна из моих подписчиц рассказывала, как жена ее любовника заставляла свою десятилетнюю дочку приходить к ее дому, караулить и просить перестать спать с ее отцом. Натурально: «Перестаньте заниматься сексом с моим папой, Вы ведете себя как шлюха». Затем эту же дочку просили к приходу папы плакать и кричать, из-за того что он спит с другой тетей. «Идеальная жена и мама», как обозначала себя эта дама в социальных сетях, не нашла ничего лучше, чем решать проблемы с мужем детскими руками.

Не нужно быть предсказателем и смотреть в хрустальный шар, чтобы предполагать, какое будущее ждет девочку, которую вплели в разборки родителей, да еще и таким инцестуальным образом. Как правило, после таких историй женщины проводят долгие и не самые приятные часы в кабинетах психотерапетов, пытаясь разобраться, почему им постоянно приходится биться за мужчин, как они оказываются в деструктивных или созависимых отношениях и так далее.

Или, например, женщина, которой муж объявил о разводе, постоянно внушает своему пятилетнему сыну, что тот теперь ее рыцарь, опора и заменитель папы. И если вдруг маленький человечек ведет себя не как взрослый мужик, он сталкивается с материнской обидой на тему «вот, и ты тоже меня не любишь».

Чем дольше я наблюдаю за людьми в социальных сетях, тем больше укрепляюсь во впечатлении, что довольно солидная часть человечества вообще не оставляют своим детям права быть отдельными, самостоятельными личностями. И они у них становятся чем-то вроде милых щенков, или котяток, или плюшевых медвежат. Коими можно хвастаться, мол, вот, родила, выполнила миссию, теперь я полноценная женщина. Можно хвалиться их достижениями, смотрите, как я научила своего сына. Можно требовать всяческого привилегированного отношения к себе, ведь я же мать! И, что немаловажно в нашей с вами тематике, использовать как инструмент воздействия на мужчину. Частенько я слышу что-то из серии «да ты роди, и он никуда не денется». И ведь реально рожают. Производят на свет гарантии того, что некий мужик их не оставит. Не учитывая одного важного факта — гарантии эти живые.

Екатерина — любовница с семилетнем стажем. Отношения с избранником, мягко говоря, не простые. Еще до появления первого совместного ребенка он не раз давал понять, что семья стоит на первом месте, плюс, как водится, жена, узнав о существовании Кати, пришла в ярость и регулярно закатывала ей спектакли. Но весь этот сомнительный фон не помешал девушке решить обзавестись наследником с любимым мужчиной. Руководствовалась она логикой, что между двумя уже полноценными семьями он скорее выберет ее. Как вы уже поняли по сарказму в моем тоне — чуда не произошло. Стало только хуже. Мужчина не то что не просветлился, наоборот, стал регулярнее подводить, обманывать, допускать грубости. Перед родами, кстати, он вообще пропал и появился, только когда малышу исполнилось три месяца. Да и жена его, мягко говоря, не пришла в восторг от появления на свет братика ее деток. Что, вы думаете, было дальше? По прошествии двух лет, поняв, что ситуация если и меняется, то только в худшую сторону, Екатерина решила... Родить второго ребенка! Вдруг подействует. Результат плачевен. Всю беременность она получает порции оскорблений от супруги любовника и всей ее родни. Да надо сказать, и он, красавчик, не отстает. Бесконечные сохранения, нервные срывы, истерики. Что там в утробе переживает этот несчастный ребенок — и думать не хочется. Как и о том, что ждет его после рождения. Ведь единственный вопрос, который волнует героиню этого рассказа, — можно ли хоть что-то еще сделать путного с этими отношениями.

Вряд ли, даже если рожу пятерых детей, смогу понять, как можно ненавидеть их настолько, чтобы сбрасывать на формирующуюся психику нагрузку, которую и сама-то, похоже, не выдерживаешь. И обрекать тем самым на очень сомнительные перспективы в будущем.

## НЕ ЛЮБИШЬ МЕНЯ — НЕ ЛЮБИШЬ ДЕТЕЙ

Вторая, не менее печальная для мам, но, слава богу, не столь губительная для детей тенденция — сплетение себя и отпрысков в одно целое. Почему я так негативно о ней отзываюсь? Сейчас объясню.

Несомненно, материнская любовь — чувство очень сильное, очень важное и очень нужное. Для ребенка. А вот мужчина, жена которого из женщины превращается исключительно в мать, в этой ситуации явно будет ощущать недостаток романтических отношений.

Для простоты восприятия приведу пример. Жена моего знакомого, которая, кстати, в курсе того, что у него серьезный роман на стороне, после того как вскрыла его переписку с любовницей и нашла в ней немало горячих фото от последней, стала регулярно высылать ему свои снимки… с детьми и подписями «вот от чего ты отказываешься». Вот мы в песочнице, а вот мы пьем чай, а вот читаем сказку. Смотри, смотри, какую красоту ты меняешь на чулки! Несомненно, все эти семейные домашние милости очень и очень нужны. Но почему именно их считается возможным ставить в один ряд с сексуальными моментами — не ясно. Во всех их попытках поговорить и как-то разрешить уже эту ситуацию всегда фигурировало «ты бросаешь НАС». Да что там, даже когда она названивала любовнице с целью поделить уже несчастного, сетовала на то, что, мол, так поздно приходится с вами общаться, дети-то уже спят.

А одна из моих читательниц, постоянно жалующаяся на измены мужа, на логичное предложение кого-то из комментаторов как-то разнообразить их интимную жизнь заявила, что она мать и поэтому «грязный» секс для нее недопустим. Довольно логично, что за «грязным» (пояснения — оральным) сексом ее муж регулярно наведывается то к проституткам, то вообще к ее подругам.

Обратите внимание, наверняка вы замечали таких женщин, которые всегда и везде с детьми, вплетают их во все темы, даже на фотографиях у них обязательно присутствуют отпрыски. В какой-то момент времени понимаешь, что ее самой-то уже и нет. Есть приложение к чадушкам.

> Да, мужчинам важно, чтобы у их детей были хорошие и заботливые мамы. Но еще им важно, чтобы рядом с ними эти мамы становились женщинами, с которыми можно поговорить о чем-то, кроме совместных чадушек и их общего времяпрепровождения.

Любовь между мамой и папой, мамой и детьми и папой и детьми — это три разные истории. Очень разные. Отношения между мужчиной и женщиной основаны несколько на других чувствах, нежели их взаимосвязь с детьми. И если папа разлюбил маму как женщину, это не значит, что он перестал любить своих детей. Хорошо бы об этом помнить и не пытаться запихивать все в один блендер.

Девяносто процентов обманутых, раздавленных неудачным браком женщин, присылающих мне свои истории, пишут о том, что ушли бы, но есть дети. И я каждый раз еле сдерживаюсь, чтобы не спросить прямо: «И что? Что дети?» Конечно, материнскому сердцу очень хочется счастья для своего отпрыска. Если, конечно, мама не из категории «я же мать». Но еще ни один ребенок на свете не стал счастливее, наблюдая за тем, как его самый близкий и априори любимый человек на свете мучился, страдал и жертвовал своей жизнью ради весьма сомнительного счастья «полной семьи».

Дети все чувствуют. Более того, они всегда и всему находят объяснение. Если взрослый человек способен пребывать в состоянии неопределенности, хотя это для него и дискомфортно, то ребенок — ни секунды. Так устроена их психика. Маленький человечек мгновенно находит причину, по которой все так, а не иначе, и чаще всего решает, что проблема в нем. Мама грустная, потому что я плохой, папа кричит и уходит, потому что я плохой, дома постоянно витает напряжение — это моя вина. Иллюзия полной семьи гораздо более губительна, чем ее отсутствие.

Да, и у меня для вас плохие новости. Дети имеют свойство вырастать. Причем довольно быстро. И отправляются строить свою жизнь. Они не обязаны оставаться рядом с вами только потому, что вы когда-то и не очень понятно зачем принесли в жертву себя и свои интересы.

## НЕ МОГУ ОСТАВИТЬ ДЕТЕЙ БЕЗ ОТЦА

В эту же копилку отправляем все нытье про «не могу оставить ребенка без отца». Давайте начистоту.

«Не хочу оставить себя без мужа».

Потому что разрыв любовных отношений с матерью не означает разрыв общения с ребенком и прекращение присутствия в его жизни. Если, конечно, мама не будет мстить посредством детеныша, а папа не мудак. Ну а если папаша то самое, собственно, не велика и потеря: что он был в одной квартире, что не будет его — еще не ясно, что лучше.

> Закончить эту главу я хотела бы цитатой одного замечательного человека. Он всю свою жизнь посвятил воспитанию трудных детей, а потом и умер вместе с ними. Да-да, я о Януше Корчаке. Так вот, он сказал архиважную вещь: «Детей нет. Есть люди». Вспоминайте об этом каждый раз, когда появится крамольная мысль попользоваться чадом как объектом для достижения своих целей.

# ГЛАВА 19

# ЧТО МЫ ЧУВСТВУЕМ, КОГДА НАМ ИЗМЕНЯЮТ

Коль уж мы плавно перешли к разговору о женщинах, которые столкнулись с изменой, предлагаю поговорить о том, что же происходит с нами, когда становится известно о том, что любимый, нужный, такой родной оказался предателем. Ведь понятно, что не от здравого смысла и холодного рассудка девочки начинают бегать по потолку, полностью терять самообладание и гордость.

Я отлично помню момент, когда открыла присланный мне файл. Меня обдало сначала жаром, а потом сжимающим, мерзким холодом. Было ощущение, что кто-то невидимый сильно ударил в солнечное сплетение. И даже физически не разогнуться.

Это была не боль. Какая-то ядерная смесь облегчения (ну вот, у меня была не паранойя), желания убить прямо сейчас, отвращения. Вроде я даже не заплакала. Пошла, сказала, что больше видеть не хочу, и спокойно отправилась по делам.

Сознание вышло из ступора на следующий день, в буквальном смысле — подкинуло из сна. Я вскочила рано утром с сильным страхом, и дальше начался хардкор. Объяснения, выяснения, приходы, уходы, попытки обвинить всех, кроме себя, а потом, наоборот, истошные поиски причины в себе. Раз 500 мне казалось, что все, простила. А потом накатывало опять.

## ЧТО ПРОИСХОДИТ?

В прямом смысле — рушится весь твой мир. Ибо были определенные представления о ваших отношениях, любимом человеке, о себе. И тут вся эта иллюзия благополучно рассыпается. Вполне возможно, что и отношения-то были уже не очень, и сомнения всяческие мучили. Но по каким-то причинам в них было находиться проще. А теперь — их нет. И нужно что-то решать.

## Первая реакция — это шок

И, пребывая в нем, нельзя пытаться принимать решения. Потому что их просто нет и быть не может. Тебя кидает туда-сюда. То думаешь все возвращать обратно, то уходить и больше никогда не видеть. На самом же деле единственным желанием является — отменить всю эту ситуацию. Сделать так, чтоб ее не было. К сожалению, волшебный прибор из фильма «Люди в черном» в природе пока не существует. Остаточные явления шока будут проявляться и потом, при любом конфликтом случае.

## Злость

**Положение сильно усугубляется тем, что человек, с которым раньше переживались все свои или общие невзгоды, сейчас не может быть использован как поддержка**.

Так как именно он и является причиной этого ада. И ты начинаешь злиться. На всех. На него, на эту девицу, с которой он зачем-то связался, на друзей, которые наверняка помогали в их страстном романе, на мироздание, которое дико несправедливо. Злость и гнев — это очень хорошо. С ними на какое-то время становится легче. Ибо желание убить всех значительно менее болезненно, чем желание убить себя, которое, вероятно, появится потом.

## Попытки найти оправдание

Дальше начнутся попытки найти оправдания и договориться. С собой и окружающим миром. К сожалению, оправдания, которые мы выдумываем, чаще всего с реальными причинами не имеют ничего общего. Что вполне объяснимо. Так как основой, скорее всего, будет являться проблема в отношениях, признавать которую не особо хочется. У единиц хватает разума и воли взглянуть в этот момент на историю здраво и понять довольно страшную истину. **Нет ничьей вины. Есть причины. Они могут быть в тебе, в нем, в вас обоих.**

> Любовный треугольник начинает сумасшедшими темпами превращаться в многоугольник, в котором намешано множество мнений, чужих чувств, псевдоответственности перед родственниками, детьми и так далее. Парадоксально, но в ситуации, где нужно учитывать только свои эмоции и ощущения, мы упорно анализируем всех подряд. Коварного изменщика, проклятую любовницу, несчастных детей, родню и друзей, общественные штампы. Адов винегрет, за которым услышать себя становится все труднее и труднее.

**Иногда случается так, что вместо отношений с любимым человеком ты оказываешься в длительном и жестком «романе» с его любовницей.** А он в твоей жизни занимает уже место картонной фигурки, которую нужно всеми правдами и неправдами отобрать и поставить на место. На мой взгляд, это самый плохой сценарий, ведь в нем совсем не про любовь. Жалко, что встречается он очень часто.

Вся эта история может продолжаться годами. Разрушая и мучая всех. Причем тебя — в первую очередь. От доверия остаются жалкие клочки. И ФСБ реально позавидует способности вычислять местонахождение, пароли, просчитывать время на путь домой. Все это унизительно, ужасно, стыдно. Сохранять взаимное существование в таком ключе, конечно, можно. Ключевое слово — существование. Пока кто-то не сойдет с ума окончательно. Про счастье и гармонию говорить и близко не приходится.

## Желание забыть

**Чаще всего в рассказах про измены звучит фраза «я хочу это забыть». И вот тут у меня очень плохие новости. Забыть — нельзя. Невозможно.**

Отменить событие тоже никак. Единственный вариант — смотреть на него прямо и принимать. С причинами, с болью, иногда с полным ощущением невозможности идти дальше, с пониманием своей ответственности. И самое важное — только со своей позиции. Без лишних примесей. Чтобы не потерять себя. Ибо искать потом — очень хлопотно и дорого.

Глава 20

# Что делать, если тебе изменяют? Его взгляд

Эти рекомендации помогали мне составить, собственно, виновники торжества. Поэтому, эту главу я и назвала «Что делать? Его взгляд», так как в ней содержатся рекомендации от тех, кто изменяет. Я сразу хочу пояснить: использовать их можно только в том случае, если делаешь ты это не через силу, а с искренним желанием. И да, разбираться потом с причинами измены и ее последствиями все равно придется.

Начнем с главного — на какой стадии волшебного романа находится наш лирический герой.

# Если увлечение только зарождается

Вариант первый — тебе удалось перехватить его в момент зарождающегося увлечения. Флирт, переписки, в целом невинное общение, и любовница находится пока в разряде потенциальных. Бывает такое редко, но коль чудо случилось — повезло. И это тот единственный случай, в котором сработает шоковая терапия: «по хребту лопатой на» и «к ноге». Жестко и без компромиссов пояснить, что ты в курсе, что сейчас все отправятся вон отсюда и далее образуется ряд последствий.

**Важный момент — никаких слез и истерик.**

Спокойствие, сдержанный тон и четкое появление причинно-следственной связи между обнаруженным фактом и возможным дальнейшим разрывом. Тема обсуждается один раз, и если после конструктивной беседы вскрываются новые факты, действовать нужно строго по тому плану, который был озвучен. Сказала, что пойдешь разводиться, если еще раз всплывет романтическая история, рули подавать документы. В противном случае любые угрозы и попытки манипулировать фатальными последствиями переходят в разряд пустого шантажа, на который он с каждым разом — а их, поверь, будет много — станет вестись все меньше.

Ну, как я уже сказала, на первой стадии перехватить сигналы из мира единорогов удается единицам, поэтому перейдем сразу ко второй.

# РОМАН В РАЗГАРЕ

Роман у них в разгаре, любовь, идиллия, и ты, по ходу, третий лишний. Причем надоедливый, вставляющий палки в колеса, раздражающий и порядком утомивший своими истериками. При этом мужик, хоть разговоры про уход и затевает, но особо никуда не дергается. Либо бродит туда-сюда, как медведь-шатун, доставляя немало дискомфорта всем обитателям чудесного леса.

Самый неудачный сценарий — истошные страдания со всеми обязательными атрибутами: обвинения, слезы, сопли, истерики, угрозы, шантаж, внезапные болезни. Худшее, что можно сделать на данном этапе, — скатиться в бабятник. Звонить сопернице, делить мужика, опускаться до обсуждения ее недостатков. Пойми, любое негативное действие в данной ситуации отталкивает его от тебя все больше и больше. Он приходит домой, там лицо в слезах, «ты-козел-я-на-тебя-жизнь-положила», «да-она-уродина-сука-шалава», «уйдешь — детей-отберу-из-окна-прыгну». И толпа родственников и друзей, пытающихся вернуть в дом, семью, коллектив.

Либо постоянные попытки «поговорить с партнером откровенно», как советуют в женских журналах. Ты правда ждешь откровенности от человека, который изменяет и скрывает этот факт? Единороги негодуют. Либо он будет все отрицать, либо манипулировать всеми возможными способами. Потому что он уже живет такой жизнью из-за невозможности принять вменяемое решение. И никакие задушевные беседы, если он к ним не готов и не идет на контакт, тут не помогут.

В общем, атмосфера в некогда семейном гнездышке получается нездоровая. Между тем, там, в другом доме — тотальное восхищение, понимание, горящие глаза, борщ, сиськи. И искреннее удивление: как, как эта женщина может тебя, такого чудесного, так мучить?! Думаю, кто проигрывает, пояснять не нужно.

Единственный правильный путь — экстренно заняться собой, своей и вашей жизнью. Всеми возможными способами и через «не могу». И пусть в ход идут все приемы: хобби, учеба, карьера, друзья, поклонники и т. д. Каждый день ты должна быть самой лучшей. Не лучше нее, нет. Лучше всех. Красивой, улыбчивой, загадочной, увлеченной жизнью. Мила, нежна, немного отрешена.

Нужно понимать, что человек, который изменяет, вероятнее всего, крайне болезненно относится к попыткам оторваться от него. И при малейшем намеке на то, что у тебя есть какая-то жизнь за пределами семьи, сразу возбуждается и начинает активно возвращать все на круги своя. Если рядом с ним ты не можешь быть прекрасной нимфой, и приходится притворяться — уходи и принимай решение, нужно оно тебе все или нет. Ибо, пытаясь искусственно изобразить радость и счастье, ты превратишься в робота. Вряд ли эта перспектива сильно тебе нравится.

> Вычеркни разборки и выяснения из плана спасения семьи. Равно как и тотальный контроль. Никаких истошных звонков, если он опять где-то задерживается.

Говорю тебе это как человек, который регулярно видит гримасу отвращения и презрения на его лице, когда начинается «вечерний звон» во все колокола. Искусственные способы вызвать ревность тоже ничего, кроме смеха, с его стороны не вызывают. Но если у тебя действительно получится быстренько хотя бы немного кем-то увлечься — идеальный вариант. Ибо тут сработает чувство собственничества. Главное — не переборщи. Без реальных, ну или без доказуемых, измен. Считаю нужным уточнить: мера эта временная. Если все, что способно сподвигнуть человека на нормальное поведение, — это бесконечная борьба с потенциальными соперниками, то, скорее всего, вам с ним все же придется расстаться. Потому что бесконечный бег друг за другом гармонии в брак не принесет. Хотя, если вы оба любите острые ощущения, бесконечный драйв и вынос мозга, почему нет.

Также исключаем из обязательной программы шантаж, внезапные болезни, грубость и бесконечные обсуждения случившегося. И категорически недопустим шантаж детьми. Это вызывает у них приступ острой ненависти. Остаться-то он, может, и останется, но не дай бог тебе услышать, в каких выражениях такие мужья говорят о женах, использующих детей для возвращения в семью. Изменять дальше, кстати, дети не помешают.

# ОН УХОДИТ

Ну, и стадия третья. Он реально уходит. Прямо с чемоданами, заявлением на развод, соглашениями о разделе и воспитании общих детей. Как правило, к этому моменту все уже доходят до ручки и пребывают в бесконечных обвинениях друг друга. Тут я приведу слова моего хорошего друга, который развелся пару лет назад. *«Если бы моя жена тогда сказала мне, что ей без меня плохо, что я все же не мудак/козел/урод, потративший ее жизнь впустую, а любимый человек и смысл этой самой жизни — я бы остался. Но настолько осточертело все это время быть плохим и слышать, что никто, кроме этой святой, терпеть меня не сможет, что выбора-то и не оставалось. Нельзя все хорошее принимать как должное, а замечать и отмечать только плохое»*. Девушка собрала, кажется, все возможные ошибки из списка выше. И дорушила свой брак тоже сама.

В общем, третья стадия — как раз то самое время, когда можно дозированно пустить слезу, покаяться в своих ошибках и предложить найти компромисс. Если подействует — переходим на проведение второй стадии. Если нет — отпускаем с миром и остаемся добрым другом. Вообще, **как показывает практика, чем проще отпускаешь, тем быстрее возвращаются.**

И в завершение про одну очень важную, на мой взгляд, вещь. Часто наблюдаю, как люди подсаживаются на «допинг обидой». Сейчас разъясню. Вот он накосячил. Ты его поймала. Разборка, слезы, сопли, конец всему, перемирие, и он какое-то время весь шелковый. А ты неприступная.

Вся такая «внутри так разрушено, возвращай меня, прЫнцессу». Понятно дело, возвращаешься ты быстро, а то и вообще никуда не уходишь, и через какое-то время градус накала положительных страстей падает. Потом он косячит опять. История повторяется. И вот он уже с завидной регулярностью мудак, и светлые периоды все больше сокращаются. Но ты уже плотно сидишь на очень опасной штуке — хорошее отношение мужчины в ответ на обвинения его во всех смертных грехах. Путь в никуда. Потому что очень скоро ему надоест быть вечно виноватым. И он отправится туда, где им восхищаются. А ты будешь искренне не понимать, как же так, ведь я столько принимала и терпела.

Мы, кстати, гораздо сильнее привязываемся к людям через страдание, нежели через счастье. Именно в этом причина того, что разорвать замкнутый круг «больных» отношений в разы сложнее, чем выйти из счастливых.

Если ты всерьез приняла решение восстановить отношения с человеком, который изменил, никогда и ни при каких обстоятельствах не напоминай ему о том, что ты что-то там приняла и простила. Вот только вопрос, как это решение принять и как жить потом дальше.

## ГЛАВА 21

Так или иначе, столкнувшись с изменой и пройдя все неприятные переживания, описанные в прошлых главах, мы оказываемся в точке, где нужно принимать решение. Прощать или не прощать. Пытаться что-то сохранять или нет. И если пытаться, то как. А если не пытаться, то где взять сил, чтобы все это закрыть и пережить. В общем, вопросов много, эмоций тоже через край. Давайте разбираться.

Рассуждения о «не приму», «выкину вещи вон», «не пущу на порог» оставим для посиделок с подружками, восхищающимися за бокалом мартини твоим боевым настроем и взывающими к гордости. Большая часть людей на вопрос, чего бы они никогда не простили партнеру, не задумываясь, отвечают — измену. Вот как изменит — сразу выйдет вон. И 90% из них потом встает, в особо тяжелых случаях — ложится на пороге, пуская в ход все возможные креативные ходы для возвращения ненавистного подлеца в любовную лодку.

Не буду вам врать, большая часть людей, переживших предательство любимого человека и сохранивших при этом отношения, мучаются. Недоверие, постоянные подозрения, и тут и там всплывающие фантомные боли. Ко мне в блог часто наведываются девушки, которые когда-то пережили измену мужа, и именно из них льется такой поток ненависти и негатива, что становится ясно — болит и через год, и через два, иногда и через десять. Часто мне пишут о том, что вроде как и простила, ну ведь простила, раз пустила обратно, но смотрю иногда на него и думаю: господи, зачем мне все это нужно. И так хочется сбежать уже от этого всего, закрыться, никогда и ничего не знать и начать жить заново.

Со всех сторон нам талдычат о пользе прощения. Обиды нужно отпускать, душу и мозг очищать, предателей прощать. Незабытые людские косяки имеют неприятное свойство накапливаться и превращаться в непосильный для нас балласт. Особенно, если речь идет о ситуации с сохранением отношений после измены.

> Так-то оно так, только вот как прощать, если не прощается. Вроде и говоришь себе и окружающим каждый день о том, что все простила, что живем дальше. А внутри — бесконечные диалоги, монологи, раздирающая горечь и периодическое желание размазать благоверного по стенке.

Думаю, что люди попадают в эту ловушку из-за того, что решение о том, оставаться ли вместе и если оставаться, то как жить дальше, принимается либо на эмоциях, либо в отместку сопернице, либо основываясь на мнении других людей.

Проанализировав разные истории (как печальные, так и позитивные), я собрала факторы, которые могут помешать определиться с направлением дальнейшего движения и существенно повлиять на развитие отношений после измены.

## Мужское и твое бездействие

Для начала **это отсутствие каких-либо вменяемых действий со стороны подлого изменщика**. Это то, на что стоит смотреть в первую очередь, оценивать очень адекватно и холодно. Одна моя подписчица рассказывала мне, что муж, пойманный на измене, радостно заявил: «Вот тебе вся правда, делай, что считаешь нужным. Давай сохранять брак, но работай над этим ты. А я пока посижу, подожду, понаблюдаю, как там оно пойдет».

Это вот — позиция, за которую нужно надевать кастрюлю с борщом (погорячее) на голову и отправлять в путешествие по известному маршруту. Какие бы ошибки ни допускала жена, какие бы там причины измены ни были, решение о предательстве и обмане принимал мужик. Сам. Своей головой. У него был выбор — разбираться с проблемами внутри отношений или пойти на предательство. И то, что он выбрал второй путь, — его вина.

Можно до второго пришествия ходить к психологу, устранять в себе какие-то вещи, тусоваться на семинарах, но если второй участник не делает ни черта — простить и принять его обратно в полноценные отношения невозможно.

Есть тотальная разница между просто прийти обратно в семью и пребывать там в качестве мебели, периодически выдавая пинков за то, что жена не рада этому факту и не счастлива от одного факта его существования рядом, и реальной работой над тем, чтобы женщина, с который ты все же решил продолжить свой путь, была спокойна и счастлива. Поэтому, если твой блудный избранник занял позицию «радуйся тому, что есть» и его не волнует, как и что ты там переживаешь, — это верный сигнал к тому, чтобы не продолжать отношения. Вытянуть их на себе в одиночку — невозможно.

Кстати, то же самое касается и второй, пострадавшей стороны. Некоторые женщины считают, что за совершенный грех мужчина обязан каяться всю жизнь и полностью отдаться в моральное рабство. Мол, рта вообще не открывай, то, что я тебя тут обратно пустила после всего, уже великая честь. Позиция обиженной принцессы из прошлой главы, которой все теперь по гроб жизни должны. Спешу напомнить, что изменять он, с вероятностью 99%, пошел не просто так. И где-то капризная принцесса накосячила. Что-то недодала, где-то не услышала, в чем-то пережала. И если не разобраться, в чем была твоя доля вины, надеяться на то, что жизнь ваша будет счастлива и безоблачна, не приходится.

> Прощение — это работа. Большой и, надо сказать, довольно неприятный моментами труд, который тебе придется выполнять, если вы оба искренне готовы пройти этот путь.

Никогда не удастся ничего сохранить после измены, если садиться в позу несчастной жертвы и ныть о том, что вот теперь-то тебе точно все должны. Бегать и гордо возносить руки к небу с криками «я ведь его пустила обратно» — это ни о чем. Терпеть месяцами, а то и годами, как внутри все распирает от непережитой обиды, — тоже не про работу с собой. Возможно, я слишком требовательна к людям, но вряд ли смогу понять, как можно упорно и подолгу эмоционально умирать и ничего с этим не делать. Ругать весь мир за жестокую несправедливость. Ждать мифического спасителя, или чуда, или пока само пройдет и образуется. Не пройдет и не образуется.

## Твой «роман» с любовницей

Второй фактор, который, на мой взгляд, влияет и на принятие решения, и на то, как дальше будут строиться ваши отношения, — **твой «роман» с любовницей**. Да, да, не удивляйтесь. Между девочками иногда завязывается еще более бурный водоворот эмоций, нежели у них с мужчиной.

Злиться на нее — проще. Потому что, если весь гнев падет на любимого человека — его может оказаться слишком много, что перечеркнет возможность дальнейшего общения. Или он вдруг испугается тебя, такую ужасно злую. Именно поэтому, защищаясь, мы переключаем большую часть негативных эмоций на нее, мерзкую гадину. И вот тут начинается самое интересное — возникают полноценные и иногда очень длительные отношения между женой и любовницей. Они могут быть как полностью иллюзорными, так и с реальным контактом (позвонить, выяснить, написать гадостей и прочее).

Первое, на что стоит посмотреть внимательно, — не хочешь ли ты сохранить брак назло «этой девке». Если это так, то подумай, стоит ли этот человек, который, безусловно, тебе не нравится и неприятен, того, чтобы ради нее ты пожертвовала своей жизнью. Ведь, по сути, именно это ты и собираешься сделать. Да, ей с высокой долей вероятности будет не очень от осознания того факта, что вы там собрались склеивать разбитую чашку любви. И да, не буду скрывать: ты будешь злобно радоваться тому, что вот она у разбитого корыта, а ты у «склеенного». Но далеко ли можно в отношениях уехать на мести третьей стороне? Будут ли они приносить еще какую-то радость?

Твой «роман» с «этой женщиной» требует огромных затрат энергии. Он поглощает силы, время, занимает мысли. Девочки часто пишут, что не вылезают со страниц разлучницы. По сути — проживая ее жизнь. Оценивают, сравнивают, ждут каких-то знаков, которые, как им кажется, могут хоть как-то уже облегчить жизнь. Откуда тут взяться ресурсам для прощения? Неоткуда. До тех пор, пока продолжается эта борьба, браться за сохранение гармоничных отношений бесполезно.

Как ее прекратить, спросите вы. Понять, что никто из вас не лучше и не хуже. Боролись вы обе исключительно с одним врагом — сущностью вашего мужчины. И решение он принимал не исходя из того, у кого там что красивее, вкуснее, интереснее.

Мы ведь любим людей не за заслуги. И лучшее тому доказательство то, что ты готова рассматривать продолжение отношений с тем, чьи подвиги крайне сомнительны. Разумеется, придется проявить силу воли и поставить себе полный запрет на то, чтобы шататься по ее страницам, проверять, как там живется несчастной брошенке. Да, я знаю, наверное, это большое разочарование, но иногда от вредных зависимостей можно избавляться банальными способами.

# Влияние окружающих

Третий факт — влияние окружающих. Мешает как на стадии переговоров с ним и с самой собой, так и в дальнейшей жизни. Узнав о предательстве, будучи в состоянии шока, мы часто несемся с этой болью по друзьям, родственникам, форумам, пытаясь найти ответ на один-единственный вопрос: что делать. Люди у нас рады стараться поучить жизни других, поэтому от советов и рекомендаций отбоя не будет. В итоге ты оказываешься в дичайшем информационном шуме. Одни кричат «не разводись ради детей», вторые «ой, да я бы вон послала и жила бы дальше», кто-то талдычит про «сама виновата», ну и так далее. Особенно «правильно» масла в огонь подливает ближайшая родня, которая сильно переживает на тему «что ж людям-то скажем» и «стерпится-слюбится». Опасная ловушка, попадая в которую начинаешь принимать во внимание все мнения, кроме своего собственного. Боязнь осуждения, трепет перед статусом разведенки, стыд перед детьми, которые могут оказаться без «полноценной» семьи.

То самое время, когда ты должна быть эгоисткой. Адекватной и думающей о себе. Жить дальше с этим человеком придется тебе. Не маме, не свекрови, не подружкам. Последние, напомню, с ним вообще никогда не жили. Поэтому не могут ничего знать о том, что «золотой мужик», «да где такого найдешь» и далее по тексту. Издалека все кажется идеальным. Ты — единственная, кто знает, какой он тебе муж. То, что он прекрасный отец детям, всегда помогал папе на даче и возил собаку сестры к ветеринару, безусловно, очень важные вещи. Но они не имеют никакого отношения к вашим с ним личным отношениям.

Поэтому защищай свои границы.

> Вежливо, но настойчиво, попроси родных и друзей не вмешиваться и не тащить свое мнение относительно твоего будущего в котел переживаний. Четко скажи им, какого рода поддержки ты ждешь. Кому-то хочется, чтобы ему помогали поступками, кому-то — чтобы просто гладили по голове, когда он плачет. И ни в коем случае не ведись на рассказы о том, что Машка вот своего гулящего мужа простила, и ничего, живут. Машка — это Машка. Вполне возможно, что она втайне является поклонницей свинга. Ты ведь этого никогда не узнаешь. Мы все разные. И то, что допустимо для одного, может быть категорически неприемлемо для другого.

Прощение — это решение. И оно должно быть твоим. В противном случае ты рискуешь рано или поздно пережить незабываемое и очень болезненное ощущение того, что находишься посреди какого-то сериала, а не в своей жизни.

# Возвращение доверия

Ну и последний пункт — это доверие. Он скорее относится уже к периоду после принятия решения. Так как в первое время с ним действительно будут проблемы. Измена разбивает доверие на мелкие кусочки. Собрать его заново и склеить — нельзя. Миф и удочка, на которую попадется большинство из нас. Нереально просто взять и начать верить во имя прошлых заслуг. А вот вырастить заново — можно. Процесс это медленный, иногда утомительный, но плоды дает хорошие.

Один из способов: каждый день вести учет того, в чем человек вам не соврал. Обещал, что пойдете в кино, — и пошли. Сказал, что будет в 21.00, и пришел вовремя. Взял на себя мытье посуды или покупку продуктов — и придерживается обязанностей. И так далее. Пополняйте список каждый день и в минуты, когда накатывают сомнения, перечитывайте.

Но я еще раз подчеркну. Если у вас есть хоть какие-то факты, которые говорят в пользу того, что отношения на стороне продолжаются, — даже не пытайтесь. Все сведется к тому, что вы будете лить себе кипяток на ногу и пытаться при этом улыбаться.

Заключение этой главы будет немного грустным.

> К сожалению, из всей массы семей, оставшихся вместе после серьезной измены, действительно гармонично и счастливо жить удается очень немногим. Виной тому и те факты, о которых я написала, и то, что люди надеются на то, что как-нибудь оно само наладится и образуется. Не работает. Как пульпит не может пройти сам, нужно чистить каналы, ставить временные пломбы и иногда проводить профилактические замены основных.

Простить, именно простить, а не сделать вид, что «не помню и все у нас хорошо», удается, пожалуй, лишь тем, кто просветлился до того уровня, на котором мы готовы в глобальном смысле принимать разные потребности партнеров, даже если они идут вразрез с нашими. Поясню. В тот момент, когда он пошел изменять, это нужно было ему по таким-то причинам. Да, он был неправ, да, совершил ошибку. Но у нас были проблемы, и после того как мы их решили, это не повторяется. Было обидно, больно, но мы это прошли, сделали выводы, исправили. Возможно, это было нужно нам обоим, для того чтобы понять, как строить отношения дальше. И все это должно быть не просто словами, а именно принятием и пониманием внутри себя. И, разумеется, подкрепляться отсутствием новых любовных побед на стороне.

# ГЛАВА 22

# ОТНОШЕНИЯ НА ИВЛ

Люди, пытающиеся спасти ушедшую любовь, очень похожи на родственников умирающего человека. Стоят вокруг постели, боясь пошевелиться, переглядываются растерянно. Задают друг другу один и тот же вопрос: «Ты думаешь, это конец? Неужели мы не можем ничего сделать? Давай, давай что-нибудь придумаем».

Это ужасное чувство, когда двое когда-то любящих понимают, что проще будет, если их история умрет. И ночи бессонные кончатся, и ожидание неизбежности исчезнет, и не прикован больше к безнадежному человеку. Но липкий страх момента «конца» парализует. Заставляет сжиматься желудок. Как будто за этим «все» больше ничего нет. И они продлевают агонию. Загоняют внутривенные вливания псевдонежности, пытаются встряхнуть электрошоком ревности, катают койку туда-сюда в надежде на другой микроклимат.

И бесконечно дергают врачей и медсестер (читай — друзей, психологов, гадалок): ну, может быть, есть какой-то способ? Те многозначительно кивают головами и раздают советы. Пытаются анализировать. А эти двое несчастных врут друг другу, что нет, ничего страшного не происходит, ни о каком летальном исходе не может быть и речи.

Мне кажется, что этот период — самый ужасный в отношениях. Не само расставание, там ты хотя бы уже четко понимаешь, что все. И даже не период тоски и скучания после него. А агония. Агония, в которой живут двое. И часто годами. Не в силах разорвать эту помесь ненависти, отвращения, порой до трясучки, с какой-то болезненной привязанностью. Люди застревают в нем, как в паутине. Удивительно, но на пике влюбленности расстаться иногда реально проще, чем выползти из состояния «предрасставание».

«Ведь как я без него? Вот он сидит — и меня от него воротит. А подумать о том, что проснусь завтра, а его нет — сразу ком в горле. Потому что мое. Родное. Привычное. Столько пережили вместе», — пишет мне девушка, зачем-то простившая с десяток измен, похудевшая на 10 кг от переживаний и почерневшая от бесконечного мучения рядом с человеком, к которому уже ничего нет.

Воспоминания, кстати, солируют в период доживания отношений. Начинают всплывать все эти первые поездки и ощущение невероятного счастья от того, что просыпаешься рядом. И какие-то планы вы там строили и так далее. Как вот это все оставить?

Поэтому люди так истошно боятся расставаний. И раз за разом упорно делают не тот выбор между живым, пульсирующим новым и еле дышащим старым.

> Мы часто путаем любовь к человеку с чувствами к воспоминаниям и своей привычке. Все мы по сути — эгоисты и с упоением холим и лелеем вложенные усилия, переживания, то, как НАМ будет плохо, если наши надежды не оправдаются.

Из-за неумения отличить одно от другого ловушка захлопывается, и мы превращаемся в печальных родственников у смертного одра с неизменным вопросом в глазах.

А вдруг можно еще что-то сделать?

Нельзя. То, что уже на искусственной вентиляции, само дышать не начинает. И стоит его отпустить, пока не начнет плохо пахнуть. «Лошадь сдохла, слезь».

# ГЛАВА 23

# ВСЕ ТАК ЖИВУТ...

Инна сначала долго и сосредоточенно размешивает сахар в кофе. Потом тягостно смотрит в окно и в завершение этой напряженной мизансцены говорит с полной надежды вопросительной интонацией: «Ну, все ведь так живут, да?»

Муж ее последние три года провел в незабываемом для Инны романе на стороне. Со всеми полагающимися атрибутами. Враньем, разбродом и шатанием, хождением туда-сюда, бесконечным унижением типа знакомства любовницы с друзьями и даже родными. Она болезненно похудела, пару раз пропивала курс успокоительных таблеток, пыталась умолять, угрожать, разбираться с «этой девкой». В итоге вся эта волнительная эпопея достала ту самую, третью сторону, и она влюбилась в кого попроще. Ну а Сева был водворен в лоно семьи. И вот они живут. Инна со своей болью, а он со своей. Периодически, напиваясь, муж закатывает ей скандалы, обвиняя в том, что если бы она его отпустила и не устраивала цирк с конями, был бы сейчас он с любимой женщиной. Утром, правда, извиняется. Мол, ну чего ты, ну я же с тобой. А она глотает слезы и думает: да что ж я правда-то не отпустила, уже бы пережила все это сто раз и жила бы себе счастливо. А теперь вроде затянуло обратно. И родной он какой-то, и жалко его.

«Ведь все так живут, да? Нет ведь идеальных семей? Враки все?» — моляще спрашивает она. Ох, дорогая моя Инна. Нет, не все. Просто Сева твой — бесхребетный лось, который мало того, что развел гарем вокруг себя, так еще и разобраться с ним так и не смог. И спихнул вину всю на жену, о которую предварительно с особенным старанием вытер ноги. Так довольно долго всеми способами пытался спровоцировать на разрыв по твоей инициативе. А ты сама так загнала себя, что проще уверовать в то, что в таком аду живут все кругом, лишь бы ничего с этим не делать.

Как бы мне ни было по-человечески жалко людей, попавших в такую ловушку собственной слабости, мое мнение относительно «все так живут» очень и очень жесткое. Это, пожалуй, самая удобная позиция для ухода от ответственности за свою жизнь и совершенно безнаказанного вечного нытья и страданий.

Ведь если у всех так, то можно ничего не менять, не заниматься довольно болезненным анализом себя или никчемного мужика, потому что с вами ведь все в порядке. Просто общее человеческое устройство пострадало. А то что больно, или неприятно, или плакать в три ручья хочется — ничего, просто нужно лучше терпеть и почаще себе напоминать про то, как живут все остальные.

Я пользуюсь этой уловкой, когда вижу какое-нибудь вопиющее беззаконие или катастрофу. Чтобы окончательно не рехнуться от того, что в какой-то точке нашего земного шара казнили 200 детей, думаю примерно так: «Ну, они все там такие, законы особые, устройство их мира таково». Потому что, если я буду рассуждать как-то иначе, то сойду с ума от ужаса и страха.

Как правило, люди с такими убеждениями в контексте любовных отношений категорически не верят в то, что бывает по-другому. Что есть семьи, где не изменяют, не пьют, не бьют — ну, у каждого миф в зависимости от проблем. Таких женщин я часто встречаю в своем «Инстаграме», они до хрипоты готовы доказывать теорию полигамии и рассказывать о том, что все мужчины точно изменяют. А те, кто не разделяет их позицию, — просто плохо следили за своими мужиками. Любая попытка «открыть глаза» и пролить свет на реальный мир приводит к жесткому негативу. А как иначе? Кому понравится, если у тебя в разреженной атмосфере будут отбирать кислородный баллон?

Не знаю, откуда это в нас. Возможно, впитали вместе с пережитками советского прошлого, где все было «как у всех». И с завидным рвением передаем следующему поколению.

Например, на голубом глазу заявляем, что «все мужики козлы». Фраза эта, думаю, бьет рекорды по частоте использования и является собирательной. Легко применяется к любой проблеме.

Казалось бы, обыденное такое заявление. Ан нет, услышать его на самом деле можно далеко не от каждой женщины. Особенно на полном серьезе.

У этой позиции есть мощнейшая защитная функция, с помощью которой мы прячемся от разных страшных вещей.

Ну, одну из них я уже описала. Какие еще? Сейчас расскажу.

Например, от разочарования. Заранее ведь известно, к какому племени они все принадлежат, никаких особенных сюрпризов не будет.

Или от одиночества. Да-да. Знаете как? Довольно просто. Ожидания заведомо занижены, поэтому пару найти себе проще. Козлов ведь однозначно в мире больше, чем уссурийских тигров.

Равнение всех под одну, причем довольно низкую, планку не дает нам утонуть в зависти к другим. Коль все одинаковые — пресловутого женского счастья никому особо не видать. Можно расслабиться на тему того, что Машка вон вся в заботе купается. На самом-то деле мы знаем, что ее мужик — тоже козел, и неспроста это все.

Иногда, кстати, с помощью этого постулата мы защищаемся от отношений в целом. Если по каким-то причинам боимся их или не хотим, такое простое объяснение извне тут как тут. Чего с ними, рогатыми, связываться-то.

Чаще всего корни «все козлы» упираются в однополые семьи, коих было в изобилии в нашем советском детстве: мама и бабушка. Зачем нам папа, совсем не нужен, они же… Ну и далее по тексту.

В общем, история-то получается со всех сторон удобная. И переходит в формат самосбывающегося пророчества.

Как-то раз был у меня интересный диалог с читательницей. Она старательно убеждала меня и остальных, что не изменяют только неудачники и импотенты.

К сожалению, с 90% вероятности эта девушка впишется в роман с тем, кто будет ей изменять. Потому что, если следовать ее логике, не изменяют только полные ничтожества. Следовательно, если избранник не будет ей изменять, он не сможет удовлетворять ее потребность. Что еще останется юноше, желающему произвести впечатление? Только действовать по заранее подготовленной установке. Чтобы быть достойным ее внимания.

Честно говоря, я не большой сторонник постулатов про то, что «мы видим только то, что хотим видеть», «внешняя ситуация зависит от внутреннего настроя» и т. д. Есть все же независимые от нас и настроя вещи. Типа курса евро. Но вот, пожалуй, история про «все козлы» — редчайшее исключение, когда я с ними согласна.

У нас действительно есть большая потребность в том, чтобы наши внутренние ощущения и картинка снаружи совпадали. Поэтому, даже если всем твоим подругам их мужики будут изменять направо и налево, а у тебя внутри нет никаких предпосылок проецировать это на себя — ты и не будешь. И шансов вписаться в роман с козлом тоже будет гораздо меньше.

Поэтому, когда мы авторитетно заявляем, что «все козлы» или «все так живут», мы говорим о том, что не очень хотим лучшей жизни и внутри у нас все несколько печально, да и в отношениях не радужно. Так что это про вас, девочки. А не про общую мужскую характеристику.

# ГЛАВА 24

# ПОЧЕМУ ОНИ ИЗМЕНЯЮТ

Подошли мы с вами, друзья, к одному из самых животрепещущих вопросов, сравнимому по ореолу загадочности и количеству рассуждений разве что с тайной из серии «есть ли жизнь на Марсе». Почему, ну почему же они изменяют? В какой момент, как, зачем, откуда в вашей устоявшейся, вполне хорошей, местами даже счастливой жизни внезапно появляется некая Ника.

Теме этой посвящены километры страниц в глянцевых изданиях, интернете, в чатах и на форумах. Каждый человек, который сталкивался с изменой в своей жизни, задавал этот вопрос: «Ну почему, почему со мной так поступили?!»

Я совру вам, если скажу, что существует какой-то дежурный список причин, под который подходят все изменщики. Как правило, должно совпасть несколько факторов: неспособность решать проблемы внутри отношений (о ней я еще расскажу отдельно) и, собственно, эти самые проблемы или косяки со стороны второй половины.

Но, так или иначе, вывести некоторую закономерность вполне себе можно. Что я и сделала. Искренность провоцирует ответную честность, поэтому мне очень часто пишут и мужчины с рассказами о том, почему и зачем развели они вокруг себя треугольную любовь. Пойдем мы с вами от простого к сложному.

**Давайте перенесемся в начало вашего романа.** Период особенного ожидания звонков, сотни смс откровенного содержания и тщательной подготовки к каждой встрече. Целый ритуал из выбора образа, подходящей к нему одежды, макияжа. Разумеется, идеальная эпиляция везде, маникюр и педикюр. Практически девушка с обложки. А настроение? Улыбка, горящие глаза, интересные темы для разговоров, старательно подобранные, чтобы удивить его. Фонтан энергии, энтузиазма, идей — в общем, вся эта прекрасная гормональная история с эндорфинами.

**Что происходит дальше.** О том, что любая страсть и влюбленность имеет свой срок активной жизни, я думаю, рассказывать никому не надо. Сделать именно с этим процессом вы действительно ничего не сможете. Отменить некоторые трансформации в ваших отношениях, к сожалению, нельзя. Перейдем сразу к приземленным и насущным вопросам из серии «небритых ног». Один из моих знакомых как-то в разгар беседы о женах и изменах весьма эмоционально бросил: **«Напиши ты им уже, что на самом деле нужно каждый день следить за тем, как ты выглядишь и как ведешь себя. И это касается обоих».**

Разумеется, мы с вами не будем уходить в историю про засаленные халаты, бигуди и трусы-парашюты. Надеюсь, что это уже ближе к пережиткам прошлого. Хотя… Пока писала это предложение, вспомнила про одну барышню. Был у меня знакомый, Витя. Бабник страшный просто. Девушки менялись натурально по две на дню. Так вот. Внезапно встретил он Тоню, влюбился и даже готов был забыть о разгульном образе жизни. Но оказалось, что Тоня — девушка недальновидная. И вместо того чтобы так и оставаться немного загадочной, эротичной и интересной, она с энтузиазмом начала его женить на себе. Процесс этот лучше всего проиллюстрирует фраза из «Собачьего сердца»: «Мы их душили-душили, душили-душили». В общем, не мытьем, так катаньем, забеременев, добилась своего. Витя грустнел с каждым днем. А количество случайных связей начало превышать даже прежний уровень. Причину я поняла, заехав как-то к ним за документами. Дверь открыла Тоня. В халате с пятнами и невнятным узлом на голове. В какой-то момент уголок халата случайно распахнулся, и взору моему предстали натуральные джунгли, пробивающиеся из-под белья. Больше я на Витю осуждающе не смотрела.

Есть такой милый голливудский фильм — «Другая женщина». Так вот, там обманутая жена в процессе разговора с любовницей говорит очень важную вещь: «Мне же себя неделю к сексу готовить надо».

Честно говоря, в наше время, когда всевозможные косметические приспособления, процедуры и варианты следить за собой более чем доступны, я никак не думала, что проблемы такого характера могут возникать. Ан нет. Отзывы сильной половины человечества утверждают обратное. Хотя, нужно заметить, что они и сами к этой беде приложили руку.

**Да-да, я знаю, что ваши мужья часто используют вот эту милую ловушку: «Ты нравишься мне такая, какая есть».** Вранье.

> *Такая, какая есть — это та, в которую он когда-то влюбился. Трикошки, растянутая футболка, «домашние» трусы, выдавленные прыщи, ободранный маникюр, нытье и беседы исключительно о том, что приготовить на ужин, не имеют с этим ничего общего. И дело, кстати, не только во внешнем лоске.*

**Когда девушка знает, что она хорошо выглядит, она и подает себя по-другому.** Осанка, чертята в глазах, уверенность в себе. Мы нравимся другим только тогда, когда восхищаемся своим отражением в зеркале. От нас сразу идет особенная, притягательная энергетика. Вы замечали, что после выхода из салона красоты с прической и свежим маникюром прямо кожей чувствуются взгляды прохожих?

Да и в сексе становишься в разы раскрепощеннее, когда точно знаешь, что везде все в порядке и можно устраивать горячие сцены из порно, не думая, что правым боком лучше не поворачиваться.

Что бы там ни говорил ваш муж о натуральной красоте, он хочет видеть именно такую женщину. И не нужно начинать сейчас говорить о ежедневной усталости, желании отдохнуть и быть дома такой, какая ты есть. **Мы все бесконечно горюем о том, как же вот все было прекрасно в тот волшебный период влюбленности и ухаживаний. Как на нас смотрели, как трепетно прикасались, как слушали. Забывая тот факт, что сами вели и подавали себя совсем по-другому.**

Работать над собой нужно начинать ровно в тот роковой момент, когда в голове появляется крамольная мысль: «Ой, да он все равно уже свой, родной, завтра побрею». Завтра уже станет лень наносить дома макияж, выбирать сексуальную пижамку, искать новые увлечения, дабы удивлять. **Не успеешь оглянуться, а ты уже сидишь клушей, пока он где-то шастает.**

Каждый день выплывать навстречу мужу в костюме «сексуального паука», конечно, не стоит. Может и не выдержать разум такого счастья. А вот следовать столь популярному среди девочек стихотворению про «во мне сто лиц и тысяча ролей» вполне себе можно. **Мой любовник признался, что одна из причин, которая держит его рядом со мной, — непредсказуемость в смене ролей. И не только в нашей порочной спальне.**

Пожалуй, это как раз одна из причин, по которой брак считается непростой работой. Те, кому удается всегда готовиться к встрече со своим мужчиной так же, как в первый год романа, кто удивляет, внезапно начиная заниматься искусством фехтования или икебаны, могут рассчитывать на весомый бонус в виде верности.

> Человек, увлеченный своей жизнью, радующийся каким-то победам на разных поприщах, сияющий и уверенный в себе, продолжает привлекать внимание партнера даже после долгих лет вместе. Кроме того, для них, как и для нас, тоже очень важны вот эти старания.

Думаете, мужчины меньше нуждаются в любви и ее проявлениях? Да как бы не так! Чувствовать, что женщина, находящаяся рядом, старается для тебя, заботится о том, чтобы с ней было приятно и хорошо, что эти особенные чулки или комплект белья она купила для тебя, и что придумала совместное увлечение, и прочие важные повседневные вещи — это очень и очень ценится нашими спутниками.

**Кстати, любовницы, находящиеся в долгих отношениях или перешедшие в разряд постоянных спутниц жизни, уверенно начинают допускать все те же ошибки**. Нам, милые мои, бояться нужно втройне. Ибо если уж он ушел от одной, с вами в сходной ситуации будет то же самое. Особенно страшно разводиться только первый раз, остальные-то уже идут намного легче.

Идем дальше. Как же тогда получается, что в роли обманутых жен часто выступают вполне себе роскошные дамы? И ухоженные, и занятые, и с увлечениями, и вообще — на первый взгляд просто женщина-мечта. А все равно, сидит, рыдает над перепиской с соперницей.

Ох, если бы все эти простые вещи решали в наших отношениях все, как просто было бы жить. Но, кто сказал, что будет легко? Перейдем к более важным, на мой взгляд, вопросам. Ведь все мы хоть раз в жизни да замечали абсолютно счастливого, влюбленного и верного много лет мужика рядом с дамой, которая ну прямо скажем не Мисс Россия.

Есть у меня один пример в «блокнотике историй грустных браков». Мужчина помимо основной работы очень увлекался скульптурой. Ну вот нравилось ему, как из ничего внезапно возникает что-то красивое. И подвернулась оказия открыть маленькую, но свою мастерскую. Как примерный муж, он пошел советоваться с женой. Не будет ли она против того, что ее любимый человек осуществит свою мечту. Дама милостиво согласилась. Далее цитирую: «Если бы я знал, что потом при каждом удобном и неудобном случае будет мне припоминаться, ни за что не открыл бы». То она напоминала, что совершила подвиг, позволив заниматься любимым делом, то попрекала тем, что он там проводит время, то подозревала в грехах с натурщицей, то жаловалась на грязную рубашку. Каждая отлучка туда ставилась в укор. Мол, лучше бы ты с ребенком побыл, никудышный ты папаша. Знакомый мой сначала пытался что-то объяснять, как-то отстаивать свое вполне логичное право иногда посвящать время себе. Потом плюнул и начал врать. Сочинять про совещания, внеурочную работу. Где вранье — там и раскол в близости. Более того, она начала вынюхивать и устраивать дикие скандалы теперь уже на почве лжи. Результат — развод и рядом другая девушка.

Мы часто путаем реальную поддержку с громкими возгласами «да я с тобой в огонь и воду», «да я во всем поддержу», «да я всегда рядом». **А на деле получается: задержался на работе — упреки, устал и не хочет общаться — обида, начал подниматься вверх — комплексы, увлекся хобби — ревность.**

Очень часто любая попытка мужчины провести свое, заметь, личное время, вне общения с женщиной, приводит либо к тихой обиде и страданиям, либо к громкому скандалу.

Кстати, в дружеских отношениях мы никогда себе такого не позволяем. **Будешь ли ты докапываться до уставшей насмерть подруги, не разлюбила ли она тебя, коль не хочет сорок минут по телефону потрындеть после рабочего дня? Да никогда. Устала и устала. Чем же мужчина-то отличается?**

Признаюсь, я тоже допускала эту ошибку. Когда-то любое увлечение любимого мужчины или планы, не связанные со мной, воспринимались в штыки и как предательство. Либо вместе, либо никак. Причина этого скрывалась, разумеется, в более серьезных проблемах. Как моих личных, так и наших общих. Сейчас, смотря уже с высоты солидного опыта по пониманию себя, я знаю, что с таким подходом отношения не построишь, и если подобное не решать, то все развалится к чертям.

Давай пофантазируем? Какого мужчину ты хочешь видеть рядом с собой? Умного, самостоятельного, способного нести ответственность за себя и часть ваших отношений, желательно без проблем с работой и так далее, умеющего любить. Вполне себе хороший и достойный портрет полноценного человека. Так вот, «цельные человеки» не хотят быть рабами. То, что он полюбил тебя, захотел быть рядом с тобой и даже женился, вовсе не означает, что теперь это твоя собственность и права на его время, мысли, желания и увлечения принадлежат исключительно тебе.

> Любой индивидуум в здравом уме и без психологических проблем откажется от участи быть чьей-то половинкой и частью одного целого. Потому что половинки сами знаете у какого места. А любовь и семья — это про двух самостоятельных людей, которые хотят быть вместе не для того, чтобы заткнуть у себя прорехи, а потому что им хорошо вдвоем.

У твоего мужчины есть право на личное время, на личное мнение и на личные желания с увлечениями. Ты можешь их не разделять и не заниматься ими вместе с ним, но поддерживать его в том, что ему нравится, не помешает.

Эпоха рабов у нас, слава богу, прошла уже давно. Но почему-то штамп в паспорте многие радостно приравнивают к тому, что человек обязан всецело принадлежать только тебе. Иногда доходит до дикого абсурда. Как-то раз написала мне девушка. Мол, спасите, помогите, мой брак рушится, иду подавать на развод, такая кошмарная ситуация, что как дальше жить с этим человеком, даже представить себе не могу. Мое воображение нарисовало множество страшных картин: от любовницы с тремя детьми до побоев средней степени тяжести. Эх, жалко, что мы с вами общаемся через книгу, и я не смогу сейчас увидеть то, как вы удивитесь, прочитав, что же там произошло. Так вот… Муж смотрел порно.

На этом месте должен появиться значок facepalm из мессенджеров. Подлец, предатель, осквернивший большую и чистую любовь. Логика была в следующем. Если он смотрит порно и возбуждается, значит, он хочет кого-то, кроме меня. А коль так, то значит, он скоро пойдет мне изменять. И вообще, как такое может быть — если любишь человека, то ведь думаешь только о нем. Честно говоря, я уверена, что в итоге он действительно пойдет изменять этой занятной особе. Но не потому, что смотрит отвязную порнушку. А чтобы доказать хотя бы себе, что он еще самостоятельный человек, а не безмозглая кукла на веревочках. Если бы она еще была одна такая, гениальная. Грустные послания, связанные с тем, что кто-то застал своего супруга за фильмами или картинками для взрослых, периодически взрывают мои однообразные дни.

Знаете, почему любовницы знают о мужчинах гораздо больше, чем законные жены? Да потому что, когда он рассказывает мне о том, что увлекся написанием сценария для фильма, я радуюсь и искренне интересуюсь, что там, как там, и подбадриваю его. А когда он рассказывает что-то подобное своей жене, то получает нытье на тему «да зачем все это надо, лучше бы это время ты проводил с нами, а то мне одиноко и скучно». Я в данном случае — имя нарицательное и собирательный образ.

> Вывод: оставь человеку право быть собой, владеть собой и заниматься собой. Не тяни его силой к себе, не ограничивай в том, что ему нравится, поддерживай его, искренне интересуйся им. Если же для тебя неприемлемы какие-то вещи, которые он делает, а для него они критически важны, возможно, речь о том, что данный конкретный мужчина просто не твой.

Отсутствие понимания и принятия таких вопросов толкает не просто на измену, а на тотальный разрыв отношений.

Как, кстати, и «пиление» на тему материального положения. Да, мужчина, несомненно, добытчик. Но у них, ловцов мамонтов, тоже бывают разные времена. И иногда они затягиваются на длительное время. Поверь, если у тебя нормальный мужик, ему самому не очень хорошо от того, что он временно не особо финансово стабилен. Напоминать ему об этом, особенно в укоризненной форме — нельзя категорически. Как очень метко сказал Бродский: «Ведь если может человек вернуться на место преступления, то туда, где был унижен, он прийти не сможет». Есть у меня одна знакомая пара. Нужно сказать, весьма хорошо обеспеченная. Так вот жена там постоянно рассказывает мужу о том, что мужчины ее подруг зарабатывают больше. С упреками и слезами на глазах обсуждает, что Маринке подарили «Порш», а Аньке «Картье». А она вот сидит с ним, с неудачником. Какое-то время он пытался что-то доказывать, сделать больше, забраться выше. Но, так как на все свои победы слышал только «мало, мало, мало», в итоге забил вообще. Сейчас они готовятся к разводу. Причина — девушка, которой нравится все, как есть.

В качестве развития темы, думаю, стоит упомянуть вообще о пользе благодарности и восхищения своим избранником.

**Вообще, у женщин есть странная черта: пытаться получить ласку, заботу, нежность, да и просто удержать рядом с собой человека, ежечасно напоминая ему, что он — мудак.** И что, вообще, это большее счастье, что такая принцесса наследная рядом с ним соблаговолила посидеть. Кстати, и не только ему, а еще многочисленным подругам, родственникам, а при оказии — и сопернице. Кайтесь, грешны? Знаю-знаю, сама однажды умудрилась застрять в отношениях, где давно уже перестала восхищаться, а уйти не могла как раз из-за банальной привычки. Тот единственный раз в жизни научил меня вырывать сразу и с корнем, как только почувствуешь, что регулярно смотришь на него, как на… ну, вы поняли.

Один из самых распространенных штампов про любовниц, как в кино, так и в книгах, — «да она же ему в рот заглядывает». Вот-вот. Искреннее поведение такого формата подкупает практически любого. Поэтому, что удивляться? Если дома мужика бесконечно пилят, а где-то там неистово благодарят за любую мелочь — куда он пойдет?

> Мусор вынес — молодец. Полку прибил — чемпион. Вывел всех в парк погулять — чемпион трижды. Что, брезгливо поморщились, мол, это его долг и обязанность? А почему тогда мы ждем похвалы за сваренный борщ, нажаренные котлеты и чистоту дома? Это, между прочим, тоже долг. Только если его вдруг не замечают — обиды и «я тут наизнанку выворачиваюсь».

Лично для меня главным критерием возможности отношений является именно чувство гордости, щемящего воодушевления и наличие горящих глаз при взгляде на мужчину. **История про «лучше плохонький, да мой» мне непонятна, чужда и несколько противна. Это унизительно как по отношению к себе, так и по отношению к другому человеку.** Ведь где-то по земле бродит та, которая будет искренне восхищаться его умением забивать гвозди или петь песни под гитару, бизнес вести, да и сам факт его существования будет для нее подарком небес.

Ну и главное — все, о чем я пишу, бесполезно делать через силу. Изобразить восхищение — нельзя, имитировать поддержку — тоже. Только по воле чувств. Поэтому, если они есть — работай над собой. И коль уж живешь рядом со своим героем, то иди и поразись, как лихо он разделывается с врагами, пусть даже просто в игре «Танчики».

## СЕКС

Да, браки действительно распадаются из-за плохого секса или его отсутствия. И никакая любовь к детям, привычка возвращаться домой и крутой борщ не спасут от появления любовницы, если с сексом плохо.

> Можно сколько угодно вопить про низменные чувства и так далее, но это не отменит того факта, что любовь между мужчиной и женщиной невозможна без чувственной стороны. Ну либо называйтесь уже родственниками, например братом с сестрой. И не расстраивайтесь от известий о том, что сексуальные потребности человек будет удовлетворять в другом месте. А за ними, как водится, подтянутся и чувства, и полноценные отношения.

Почти все мужчины, с которыми мне довелось общаться на тему их измены, практически первым пунктом обозначали, что началось все с интимных проблем. То она не хочет, то хочет, но только так и никак иначе, да и общий пыл и стремление отдаваться ему целиком и полностью явно почти на нуле. В ход идут оправдания про усталость, про то, что они матери и негоже им, и рассуждения о том, что зачем все это нужно, мы же вообще уже семья. Это за пределами спальни ты мама, примерная работница и нежная дочка. А рядом со своим мужчиной не лишним будет открывать другую, развратную и страстную сторону.

Да, я знаю, со временем, и особенно при наличии каких-то недопониманий в отношениях, страсть может затихать, быть волнообразной. Но это вполне себе решаемые проблемы. Если, конечно, ими заниматься. А не списывать на то, что «у всех так». Не у всех. Знаю много пар, которые и через десять, и через пятнадцать лет совместной жизни занимаются бурным, крутым сексом и делают это часто. Ну, а коль ты окончательно и бесповоротно своего супруга не хочешь, то, собственно, встает вопрос: а нужен ли он вообще как спутник жизни?

## Любовь к себе

Ну и фактор, которым я хотела бы финализировать эту важную часть книги (уверена, что, кстати, именно ради нее вы, скорее всего, и купили плод моего творчества), не про отношение к нему, а... про отношение к себе. Бытует мнение, что главная миссия женщины в этом мире — выйти замуж и родить детей. На этом можно остановиться. Мол, все. Состоялась, программу выполнила, сижу. Собственные интересы задвигаются подальше, и в ход идет очень странная теория: «чем большим я буду жертвовать ради семьи, тем больше меня будут любить». Это не так.

Все те же мои консультанты-изменщики рассказывают, что, может быть, всего этого и не случилось бы в их жизни, если бы их жены оставались женщинами, а не трансформировались исключительно в мам и наседок. Целиком и полностью посвятили себя им и отпрыскам. Быть мамой, разумеется, очень и очень важно. Но это лишь одна из наших ролей, и касается она отношений с ребенком. Почему-то превалирующее количество барышень считают, что материнская роль должна сделать их другими и в постели, и в жизни, и в быту. С чего это вдруг? Да, у вас появился человечек, которого вы любите совершенно по-новому, да, ваш мир несколько изменился. Но на любовных отношениях между мужчиной и женщиной это сказываться не должно.

Один мужчина, назовем его Иван, рассказывал мне, что он вроде и любит свою жену, ведь не просто так он когда-то ее выбрал и двоих деток с ней по обоюдному желанию произвел в этот мир. Но с каждым днем находиться рядом с «этим существом» становится все более невыносимым. Она занимается только домом, детьми и обеспечением бытовых вопросов мужа. И ежедневно напоминает, что он обязан такое сокровище ценить. Все разговоры только о детях или о нем. А ее самой — нет. И вот эта собачья преданность, и виляние хвостом, и укладывание на спину, подняв лапы, мол все только для тебя, бери, радуйся, уже до чертиков набили оскомину и вызывают отвращение. Ваня говорит: «Я вроде ведь и обязан ее за это все беречь, лелеять, быть верным. Но как можно любить того, кого нет?»

Постепенно из жизни таких женщин уходят увлечения, карьера, достижения. Многие удивляются: «Я ведь не сижу дома, я хожу на работу, почему все равно со мной стало неинтересно?» Потому что, дорогие мои, есть тотальная разница между «ходить на работу» и «достигать чего-то». У увлеченного человека особенно горят глаза, ему всегда есть, чем поделиться и похвастаться. С ним интересно говорить, потому что он «горит».

> Мужчинам это нужно: им приятно видеть рядом с собой интересную женщину, востребованную, активную. Ту, которая обсуждает с ним не только то, как дела у детей и какой суп сварить. Для того чтобы вдохновлять своего мужа и быть для него музой, целью и романтической героиней, нужно самой быть вдохновленной.

На самом деле все, что я сейчас рассказываю, в итоге сводится к пресловутой любви к себе.

Большинство людей фразу «люби себя» воспринимают в корне неправильно. Мол, это про уверенность, гордость и даже некое подобие нарциссизма. На самом деле все совсем не так.

> Любить себя — значит иметь опору внутри на тот случай, если любви извне не станет, или ее уровень уменьшится, или еще что. Это понимать себя, четко знать свои потребности и границы, защищать их, уметь самостоятельно заботиться о себе не только в плане поесть и поспать, но и в моральном аспекте. Правильная любовь к себе подразумевает цельность человека. Когда ее нет — мы бросаемся искать это чувство извне, начинаем жить только тогда, когда нас кто-то любит. А если он перестает это делать, то ты просто теряешься. Именно отсюда растут ноги болезненных отношений и потери себя в них.

В гармоничном, здоровом варианте отношений все выглядит несколько по-другому. Да, здорово, если рядом есть другой, кто тоже испытывает к тебе теплые чувства. Но если его нет, это не значит, что я перестаю любить себя сама, баловать себя, беречь. Рядом с такой женщиной мужчине действительно комфортно и интересно. Потому что в него не вцепляются мертвой хваткой, не требуют заткнуть черные дыры собственной нелюбви к себе. И только у таких девушек присутствует действительно особенная аура, харизма, называйте как хотите. Она невероятно притягательна.

Не могу не сделать одну важную ремарку. Помните, что у человека, который идет изменять, всегда есть два пути — решать проблему внутри отношений и пойти на сторону. И если он выбирает второе, то это уже говорит о его внутренних проблемах.

## ГЛАВА 25

# НЕ ХОЧУ НИЧЕГО ЗНАТЬ

Как-то раз в моем Instagram разгорелась жаркая дискуссия на тему «пусть изменяет, но, главное, чтобы я не знала». Одна сторона горячо доказывала, что это очень даже такая нормальная женская позиция и защищает счастливый (ключевое слово — счастливый!) брак от возможных проблем. Вторая робко пыталась намекнуть, что о гармонии речи идти не может, коль одна притворяется слепой, а второй старательно врет.

Давайте разбираться.

На первый взгляд, позиция действительно мудрой, спокойной женщины: «Всякое бывает, мужики по природе своей полигамны, и требуется им разнообразие. А я вот идеальная хранительница очага. Да не просто хорошая жена, а действительно совершенная женщина, которая никуда не лезет, ничего не разнюхивает, расспросами особенно не достает. Вот тебе „свобода", милый, главное, чтобы я ничего не знала».

Знаете, когда слышу подобные рассуждения, у меня выстраивается визуальный ряд, похожий на плакаты из фотобанков. Это вот такие картонно-счастливые улыбки, все сияют, смотрят в камеру: мама, папа, ребенок. Но почему-то хочется скорее взгляд отвести, настолько их пластиковые улыбки не про жизнь.

Мне кажется, что у позиции «ничего не хочу знать» может быть несколько корней.

## ИЛЛЮЗИЯ БЕЗОПАСНОСТИ

Начнем с того, что она действительно дает иллюзию определенной безопасности. Особенно если у девушки есть шаблон «все изменяют».

Это как, помните, в детстве, играя в догонялки, можно было в критический момент завопить: «Я в домике!» Вот тут так же. Пока я сижу, сложив руки в причудливую фигуру над головой, мне ничто не угрожает и волноваться совсем не нужно. Ведь пока я не знаю, я не потеряю его. И мне не будет больно. Слишком сильный страх потери любимого может жить в нас по разным причинам, да хоть из-за детских психотравм. Собственно, и преодолевается он в этом случае весьма детским способом «заткну уши и маму не услышу».

Наверняка вы слышали от своих знакомых, которых врачи настоятельно отправляли сдавать анализы, что-то из серии: «Не пойду. Меньше знаешь — лучше спишь». Это — боязнь реальности и изменений. Одно с другим в принципе неразрывно связано.

Придется ведь лечить. А это значит что-то менять. А так вроде и не сильно болит. Лечить — оно всегда процесс неприятный и муторный. Работать со своими отношениями, например действительно разговаривать, а не исключительно высказывать претензии, тоже удовольствие так себе. Нужно пытаться не только с собой разобраться, но и со второй половиной: принимать зачем-то во внимание какие-то его переживания, еще и понять их пытаться. Это реально сложно. Иногда настолько, что тебе начинает казаться, что в голове со скрипом прокручиваются многогранные механизмы, и ты как будто даже слышишь, как шестеренки цепляются друг за друга, и все это медленно, но верно разрывает мозг.

Да и с собой что-то делать придется. Когда ты узнаешь, что тебе изменяют, мысль «что со мной не так» неизбежна. Можно стирать пальцы в кровь, написывая на женских форумах: «да пошел вон, кобель, не для него моя роза цвела» и тому подобное. Сути это не меняет. Самой себе ты непременно начнешь задавать вопросы: что я сделала не так, почему со мной так поступили и так далее. Новость об измене — это удар по самооценке, по восприятию себя, какой бы супертелочкой ты ни была и какой бы его кобелиной натурой поступок ни оправдывала. И с этим придется либо что-то делать, либо как-то жить.

> Многие люди действительно довольно болезненно принимают факт того, что неплохо бы что-то улучшать, помимо маникюра. Поэтому и возникает у них позиция «я в домике», то есть в своей, придуманной реальности.

Кстати, распространяется это не только на брак или отношения «мужчина-женщина». Скорее всего, и в других сферах жизни человек старательно закрывается от любых известий, способных как-то изменить его выверенный, привычный уклад.

Ну и, собственно, то, что лично я считаю ключевой причиной обсуждаемого феномена. Как всегда — на десерт.

Есть в психологии такое понятие — «объектное отношение». Нахваталась я в «больнице» умных слов. Проще говоря, это про «у меня есть муж, он выполняет свою функцию и отлично». Функционал причем, как правило, больше про социальное, типа статуса, содержания, предъявления родителям наших детей и так далее. У всех должен быть муж, отец семейства, опора рядом.

То, что с этим мужем происходит, что он там себе думает, чем живет, что чувствует — не волнует вообще. Ибо, фактически, это картонная фигурка, которая позволяет мне находиться в состоянии покоя. Если же он какими-то своими действиями мой «домик» начинает расшатывать, то получает ментальной дубинкой по голове. Как правило, барышни такого рода не стесняются в обвинениях вроде «ужасного отца», «никчемного мужика» и так далее. Им же присущи рассуждения из серии «все козлы».

> Если начать расспрашивать про их мужчин, быстро выяснится, что такие дамы вообще не курсе, кто там рядом с ними существует: какой человек, с какими интересами (хорошо бы, чтоб у него их не было вообще, вдруг пойдут вразрез с семейными), что у него болит и так далее. Зато у него есть целый список обязательств, вроде заботы, любви, внимания, времени, проводимого с семьей, и так далее.

«Жены в домике» настолько не знают и не чувствуют мужчин, рядом с которыми живут, что реально до последнего момента могут вообще не понимать, что у него уже десять лет другая семья и любовь. Пока он дает статус «мужней жены», все хорошо. А что там за пределами дома — да гори синим пламенем.

Про любовь ли это? Не уверена. Она, родимая, все же подразумевает интерес к внутреннему и эмоциональному миру объекта, а не восприятие его в качестве стула, кресла или фигурки «Оскара» для демонстрации обществу.

Так что, боюсь, позиция «делай что хочешь, главное, чтобы я не знала» — это не про мудрую идеальную жену, а про человека с горой страхов и внутренних проблем, со стереотипом «все изменяют» и, вполне возможно, картонным мужем рядом.

Что интересно, они больше всех остальных рискуют реально оказаться обманутыми, ведь мало кому нравится быть фигуркой на серванте или жить рядом с человеком, которому бесконечно страшно.

У Макса Фрая была чудесная цитата на эту тему, звучит примерно так: представьте, что вас съело плотоядное растение и переваривает, а в процессе переваривания вас посещают чудесные галлюцинации. Вот и тут так. В отношениях на деле — мясорубка, а у нее — чудесный мир единорогов.

Традиционное — что делать? Ну, для начала покопаться в себе. Самостоятельно или с посторонней помощью. А дальше — обратить все же внимание на человека, живущего рядом. Вдруг он прекрасен, замечателен и вообще не собирается никому изменять?

## ГЛАВА 26

# СЕМЬ МОИХ ОШИБОК

Что греха таить — в проблемных отношениях я была не раз и многие из них создавала самостоятельно. С большой любовью, по кирпичику, а иногда и по бетонному блоку выкладывала стены из ошибок, взаимных измен и убийственного подхода для самой себя. В итоге отношения заканчивались, чаще всего, кстати, именно по моей инициативе, потому что терпеть уже не было никаких сил. Но, признаюсь, от этого было почему-то не легче.

Это тот самый момент, когда есть возможность поучиться на чужих ошибках и не допустить своих, ну или вовремя начать исправлять.

# Я торопила события

Нетерпеливость — одна из самых противных черт моего характера. Я такая во всем: мне нужно все и немедленно. Не важно, идет ли речь о развитии бизнеса или о только-только зарождающемся романе с очень важным для меня человеком.

Нужно сразу все знать: как, что, когда. Однажды я принялась задавать прямые вопросы из серии **«кто я тебе?», «что нас связывает?»** аж на второй неделе очень нежного, красивого и яркого романа, начитавшись рекомендаций о том, что нужно договариваться на берегу. Как показала практика, людей это пугает. Эта ошибка не только чревата логичным удивлением со стороны второго участника процесса, но и может навредить твоим собственным интересам. Ведь если реально будешь знать наперед, что ждет дальше, будет скучно.

*Вообще, история из серии «нужно понимать, серьезно это или нет» не про женскую глупость, а про другое, очень печальное и серьезное. Как правило, такое случается с людьми, у которых внутри большая черная дыра (я ее еще не раз сегодня буду упоминать). Она может появиться, например, от страха одиночества или от травмы.*

> И ей постоянно нужны гарантии, гарантии, гарантии. Причем чем больше она их получает, тем больше начинает требовать.

Фокус в том, что заполнить другими людьми ее нельзя никак. Зато можно понять, откуда она взялась, и закрыть самостоятельно. Тогда страх перед тем, что роман у тебя может быть не на всю жизнь, а всего лишь на пару месяцев, утихает, и на смену ему приходит понимание, что никто не обязан с ходу влюбляться в тебя до гробовой доски и если этого не случится — ничего страшного, неплохо проживем и так.

## Я сливалась

О, я мастер, мастер слияния.

Большую часть моей жизни мне казалось, что любовь — это когда мы друг без друга не можем. Вся жизнь должна сосредоточиться и подстроиться под него, того самого, долгожданного. Слияние — это тоже про большую черную дыру. Когда мы берем человека и давай им затыкать свои внутренние проблемы. Он мгновенно наделяется практически божественными свойствами, ведь волшебная пакля лучше, чем обыкновенная.

Сливалась я с полной самоотдачей. Тут же начинались общие проекты, общий дом, на задний план уходило все, что не было связано с ним и нашей большой любовью: друзья, увлечения и, что самое печальное, я сама вместе с желаниями, потребностями и всем богатым внутренним миром.

Я становилась до тошноты удобной, покорной, верной и находящейся всегда рядом. А также самой лучшей во всем, что могло потребоваться. Оглядываясь назад, удивляюсь, как никто из них не придушил это искусственное существо.

Мне патологически хотелось, чтобы любимый человек принадлежал мне безраздельно. Все вместе, везде вместе, любая попытка оторваться от меня — трагедия и «я тебе не нужна». Мои любимые становились средствами для достижения волшебного состояния младенчества, а что было нужно им самим — меня не особо интересовало и отходило на второй план.

**Люди, с которыми мы пытаемся слиться, как правило, чувствуют опасность и начинают отдаляться. Ну кому хочется, чтобы от него отщипывали куски?** Так происходило и с моими возлюбленными. Мало того, что на интуитивном уровне они чувствовали, что их ментально душат, так еще рядом находилась девушка, которая всем видом демонстрировала полную зависимость. Со мной было неинтересно, со мной было скучно, со мной было уныло. Потому что меня — не было.

Понадобилось несколько раз побывать в этом состоянии, чтобы в итоге оказаться в кабинете психотерапевта и начать самостоятельно затыкать свои черные дыры. Со временем я даже полюбила их, и мы мило сосуществуем.

Сейчас я — за любовь, большую, безграничную, поглощающую, верную. Но между двумя целыми, полноценными людьми. А то, как известно, из половинок получается сами знаете какое место.

## Я была жертвой

Этот пункт логично вытекает из второго. Так как признаваться в том, что я своими понятиями о правильной любви и привязанности создавала исключительно проблемы, было не очень приятно, я уверенным шагом переходила в жертвенность. Жестокий мир, ужасный мужчина, а я ведь все-все к его ногам. Слезы, сопли, требования из разряда «я ведь для тебя все, и ты должен так же».

Вообще, это типичное заблуждение. **Почему-то нам кажется, что если мы кого-то любим определенным образом, то он обязан делать так же.**

У позиции жертвы, несомненно, были свои мнимые «плюсы». Мои мужчины регулярно чувствовали вину, которая подталкивала их к красивым поступкам, мольбам о прощении и так далее. Все это мною воспринималось как доказательство любви. В конце концов сводилось к тому, что я могла даже радоваться очередному «косяку», ведь срабатывал рефлекс — сейчас тебя мордой об асфальт, а потом будут заглаживать вину. Но со временем светлых моментов становилось все меньше, а безграничная терпимость приводила к тому, что мои потребности, мнение и чувства начинали игнорировать.

Я перекладывала ответственность за продолжение отношений на другого человека. Все эти истории про «он меня мучает», «он не дает мне уйти», «не держит и не отпускает» — лились как из рога изобилия. При этом я терпела, ведь мне казалось, что жертвенность — высшее доказательство любви. Ага, ну-ну.

Я позволяла себя обижать, и это было большой ошибкой. У каждого из нас должен быть четкий список того, чего с нами делать ну вот никак нельзя. Например, на меня нельзя кричать, держать в подвешенном состоянии и игнорировать, нельзя ограничивать в самореализации, обманывать. И если теперь что-то из этого происходит, я несколько раз четко даю понять, что так делать нельзя, а если не работает — прерываю общение. Это касается как любовных отношений, так и родственных, и дружеских, и деловых контактов.

И знаете, что удивительно? Как только ты для себя обозначаешь круг этих границ и не дашь за них заходить, люди начинают их уважать.

## Я БЫЛА ИДЕАЛЬНОЙ

Да-да, то, за что бесконечно ругаю «светлых человечков» в инстаграмчике, я проходила лично. Мне казалось, что, если вести себя определенным образом, то люди будут давать мне то, что нужно. И чем идеальнее станешь, тем больше получишь в ответ. Это в какой-то степени про наделение себя божественными свойствами, типа я могу управлять людьми, сейчас вот немного себя доработаю, и все будет замечательно.

О, как я ошибалась.

Нет, конечно, есть и некоторые положительные стороны. В своем стремлении к мисс-совершенство я освоила немало классных вещей. Успешная, многосторонняя, занята разными делами, отлично готовлю, хорошо разбираюсь в разных интересных вещах, дома хожу красивая, а вне дома еще лучше. А еще я всеми силами всегда изображала позитив, радость и восхищение. Именно изображала, так как часто на деле было вообще нечему радоваться. Стал ли кто-то любить меня больше из-за этого? Нет.

Зато я вела бесконечную гонку по самоулучшению ради того, чтобы меня оценили. Заметили. Похвалили. Полюбили. И казалось, вот еще чуть-чуть, вот тут поправим, и все, он будет носить меня на руках. Тут добавим загадки, тут, наоборот, откровенности, будем радоваться каждому звонку и смс, пусть они и раз в неделю, и вуаля. Каждый раз, когда схема проваливалась с треском, я жутко обижалась, и на себя, и на него — ведь как так, я ведь идеальная, а все равно что-то не так. Бесконечное соперничество с собой, с ним, со всеми миром в итоге дичайше выматывает, и энергии на то, чтобы просто быть, почти не остается.

> Знаете, в чем фокус? Человека невозможно полюбить, если не знаешь и не видишь, какой он настоящий. Его можно уважать, можно ценить, можно им восхищаться. Но не любить. Когда мы притворяемся, что нас все устраива-

ет, когда делаем вид, что нас не задевают какие-то моменты, когда мы изображаем из себя того, кем не являемся, когда берем всю ответственность за отношения только на себя и живем как по сценарию — рушится все.

Я по-прежнему активно занимаюсь разными вещами, постоянно чем-то увлечена, учусь, куда-то стремлюсь и варю крутую солянку. Но я делаю это для себя (ОК, солянку еще и для него). Потому что мне так нравится. И я больше не создаю видимость, что я позитивная порхающая по квартире птичка, если на самом деле мне хочется разбить вазу о голову мужчины за какие-то вещи. Вазу, правда, тоже не бью, но говорю ему, что не так.

Стали ли меня любить меньше? Нет. Стало ли мне самой с собой лучше? Определенно.

## Я пыталась переделать людей

Несколько раз я вписывалась в отношения с мужчинами, которые категорически мне не подходили и, более того, явно демонстрировали полное несоответствие моим требованиям и ожиданиям. Я была уверена, что мне удастся провернуть **волшебное превращение,** и человек, который напрочь лишен эмпатии, станет со временем заботливым, нежным и внимательным. А патологический тусовщик, врун и прожигатель жизни обязательно превратится в верного и надежного спутника жизни.

Разумеется, мне казалось, что это зависит только от меня и именно я стану той самой, особенной женщиной, открывшей в нем доселе дремавшие качества. В ход шли и уловки из пункта 4, и синдром жертвы с требованиями из пункта 3, оправдания его перед собой то болезнями, то отклонениями, то еще чем-то.

Когда выяснялось, что моя теория не работает, становилось очень грустно, но так как усилий уже было потрачено немало, разорвать порочный круг было довольно сложно. Постепенно возлюбленный переходил в категорию монстров и демонов-мучителей — ну как так, не оценил такую чудесную девочку и вообще ведет себя ужасно, а со мной ведь так нельзя.

И я, оправдывая себя несправедливостью мира, совершала шестую ошибку.

## Я изменяла

Несмотря на тематику своего блога, я действительно считаю измену ошибкой, предательством и нехорошим поступком. У нас всегда есть выбор: решать проблемы внутри отношений или пойти искать решение на стороне.

Первое всегда труднее, потому что подразумевает работу и с собственными внутренними демонами, и с тараканами второго человека. В идеальном мире, том, что с веселыми единорогами, если люди понимают, что внутри отношений ну никак не получается разрулить, они собирают чемоданчик и по светящейся радуге уходят в закат.

Я предпочитала сначала наломать дров, вписав других людей в свои проблемные отношения, а потом уже с чувством выполненного долга уйти.

Подробно о том, почему и зачем все оно было так, я писала раньше, так что повторяться не буду. Скажу лишь, что чести мне все это, с одной стороны, не делает, с другой — ввиду того, что я понимаю, почему все так, есть шансы, что и этот сценарий удастся переломить.

## Я перескакивала из одних отношений в другие

Есть такой распространенный миф о том, что если найти замену изжившим себя отношениям, уходить из них будет легче. Врут. Не верьте. Вновь прибывший в нашу жизнь человек в таком случае автоматически становится обязан спасать принцессу из логова дракона. А он как бы вообще не нанимался. На него перекладывается львиная часть работы, которую при расставании мы должны делать сами.

Единственное, в чем, может быть, есть плюс, — затыкание временных промежутков и недостатка внимания. В остальном же отношения с ходу рискуют превратиться в эмоциональный ад, прежде всего для тебя самой. Довольно тяжело выстраивать гармонию, когда внутри еще болит и зияет.

Уходить «в никуда» — один из самых распространенных страхов, и я им тоже страдала. Но ничего хорошего перепрыгивания из неудавшихся отношений в новые не принесли. С багажом прошлого нужно предварительно разобраться.

Как-то так. Честно говоря, перечитала и немного ужаснулась. Надо ж уметь насобирать себе такое лукошко! Ну а с другой стороны, если бы не все это, не было бы меня такой, какая я есть. Да и блога Ники Набоковой не получилось бы, если бы я не переживала все то, о чем рассказываю вам. Недаром говорят, что лучшие психологи получаются из травмированных людей.

# ГЛАВА 27

# ПРО СЛИЯНИЕ И ПОГРУЖЕНИЕ

Прошло семь лет, а я до сих пор помню этот момент в мельчайших деталях. Я стою перед ним, буквально вот еще вчера таким любимым и самым нужным. И жду, что вот сейчас, прямо сейчас рухнет мир. Провалится пол под ногами или потолок упадет на голову, может, просто весь дом зашатается и рассыплется. Обломки и кровь повсюду.

Мир продолжает жить как ни в чем не бывало. Телевизор что-то бурчит, лампочки горят, елка уютно мигает огоньками гирлянды. Мой почти уже бывший мужчина смотрит на меня, недоумевая. Что логично для человека, которому женщина, которая раньше не могла поесть без его участия, только что объявила о своем уходе.

И я несколько обескуражена. Ибо долгое время жила в твердой уверенности, что наш разрыв равноценен концу света. А уж по моей инициативе — так вообще и невозможен вовсе.

Когда у нас начались проблемы, я открыла бесконечную череду звонков подругам с одним-единственным вопросом: «Как ты думаешь, он меня бросит? Бросит, да?» Они терпеливо объясняли, что нет, но этот панический страх того, что его может не быть в моей жизни, буквально сковывал меня. Знаете, это очень похоже на то, когда даже одним глазком боишься посмотреть за дверь таинственной и темной комнаты. Даже в замочную скважину. Вдруг увидишь там что-то, что напугает тебя еще больше?

Он часто говорил мне о том, что неплохо бы увидеть, что в мире, кроме него и наших отношений, есть еще много разных интересных вещей. Но нет, это было совершенно невозможно, ведь у меня такая сильная любовь. Все ему, все для него, ведь должен наконец оценить.

После того как я выползла из этих отношений, во мне плотно жила уверенность, что больше никогда не попадусь я в такие тиски, и ну вообще нафиг всю эту историю с принадлежанием другому человеку и теорию половинок, сливающихся в едином экстазе любви. И, кстати, продержалась-то я довольно долго.

Пока не встретила Андрея… Тут я допустила одну важную оплошность. Моя вера в окончательное просветление и в то, что я больше никогда не попадусь на эту удочку, сыграли злую шутку. И я опять вляпалась в «жить для него, дышать им, умирать без него».

Нужно отметить, что в нашей с ним ситуации встретились два одиночества. Возлюбленный мой оказался вообще не дурак посливаться, но по большей части ему больше нравилось, когда это делала я. До определенного момента. Пока все это не переросло в сплошную боль и страдания.

Жизнь моя превратилась в бесконечное ожидание. Утром я ждала, когда он приедет на завтрак, днем — когда позвонит или напишет, вечером — когда приедет на ужин. Считала время, проведенное вместе, страшно расстраивалась, если его было меньше, чем обычно. Пыталась участвовать во всех его делах, стать незаменимой, всеми силами сплестись все больше. Это был неприятный период. Меня практически не осталось. Постоянные слезы, навязчивые мысли, невозможность отвлечься. Наверное, мне повезло, что все же прошлый опыт я помнила ой как хорошо и отлично понимала, куда все это приведет и чем может закончиться. Да и объект в этот раз выбрала более безопасный, ведь окончательно и бесповоротно слиться с Андреем воедино было невозможно, по причине существования второй части его жизни. Поэтому момент, когда я решила принимать меры, настал довольно быстро. Но, не буду скрывать, я до сих пор работаю над тем, чтобы в будущем больше не устраивать себе подобных встрясок.

> Слияние — болезненные отношения, которые сначала выглядят как идеальная любовь из книжек: мы все друг для друга, дышим и живем только любимым или любимой, перекраиваем себя, пере-

страиваемся, ведь любовь стоит любых жертв. Дальнейшие изменения уже становятся несколько пугающими: собственная жизнь и окружающие отходят на второй план, интересы меняются или вовсе исчезают, любая ссора приводит к истерике и бесконечному страху «вдруг уйдет».

Одна из моих подписчиц рассказывала, как не могла выходить из дома или даже просто общаться с друзьями и родственниками в моменты конфликтов со своим мужчиной, потому что вся ее жизнь просто останавливалась и ее сковывало.

Одна страница в социальных сетях на двоих, полный доступ ко всем личным перепискам, посещение всех без исключения встреч только вместе — все это тоже в копилку признаков. Какая личная жизнь может быть, если мы так друг друга любим? Причем, если второй человек сопротивляется подобному подходу (а цельная личность будет брыкаться ого-го как), сливающийся начинает очень и очень страдать. Ведь он делает все, в буквальном смысле жизнь отдает ради этих отношений. А эгоистичная, бездушная скотина говорит о какой-то там самостоятельности и личном пространстве.

Спасибо за подобные наши закидоны нужно сказать пресловутой романтизации. Век романтической литературы серьезно изменил представления человечества о светлом чувстве любви и создал ряд шаблонов о ее проявлениях, по которым мы, иногда сами того не желая, меряем наши отношения.

Ну, во-первых, должно всегда гореть, сиять, греть и так далее. Во-вторых, нужно целиком и полностью погружаться в избранника, иначе какая уж это любовь. Страдания, кстати, — это неотъемлемый атрибут. Многие люди действительно думают, что сила любви измеряется силой мучений, которые мы из-за нее испытываем (один такой одаренный человек пишет вам этот текст сейчас). И, в-третьих, основная мысль романтизации в том, что жить без любимого человека невозможно.

Все это красиво выглядит на бумаге и в слезных статусах «ВКонтакте», но становится безумно болезненным для человека в реальной жизни.

> Отношения в действительном слиянии со временем начинают напоминать наркомана и героин. Есть доза — хорошо, просто отлично, эйфория, счастье и так далее. Нет дозы — тоска, грусть, жизнь неинтересна. В свободное от принятия допинга время все крутится вокруг него — мысли, поступки, планы. Вместе туда, вместе сюда, куда дернулся — к ноге!

Попадают в эту эмоциональную мясорубку прежде всего те, кто пытается другим человеком заполнить собственную пустоту. Возникает она у нас по разным причинам.

Например, в детстве недолюбили, напугали, недостаточно заботились. Получился взрослый человек, который остро нуждается именно в родительской опеке. И пытается ее получить от других взрослых людей. Сливаясь и включая полную моральную беспомощность. Младенческий характер коммуникации — мама/ребенок. Единственный, кстати, вариант отношений, в котором один человек реально и безусловно нуждается в другом, — мать и грудной ребенок.

Или нежелание брать на себя ответственность за свою собственную жизнь. Если бы на свете существовала волшебная страна Питера Пена, уверена, 90% взрослых туда свинтили бы не задумываясь. Никаких тебе напрягающих факторов, решений, обязанностей. Иногда такой страной для нас становятся отношения, где люди радостно скидывают ответственность за свою жизнь на другого. Пусть он решает. А я так, часть его.

Страх одиночества. Точнее, страх быть наедине с собой, да и вообще, нежелание быть с собой или непонимание того, кто ты есть на самом деле и какой ты. Процесс осознания собственного «я» и его характеристик, кстати, довольно тяжелый и болезненный, поэтому я отлично понимаю людей, которые его избегают. Так вот. Верный способ этот страх заткнуть и ничего в себе не искать — слияние с другим человеком. В нем наверняка найдутся все черты, которых остро не хватает в себе.

Поиск «наполнителя» происходит не только в отношениях между влюбленными. Есть люди, которые усиленно сливаются с друзьями, да и с собственными детьми, возводя отношения в культ своей жизни.

Самое печальное в этом всем, что человек, с которым мы вознамерились организовать одно целое, не имеет для нас никакой ценности сам по себе. Он — лишь средство достижения сладкого, безопасного состояния, в котором меня как личности нет.

Если прислушаться к тому, как такие люди говорят о своих любимых, то там будет очень и очень много «я»: я не могу, я нуждаюсь, я делаю все и так далее. И практически ничего про потребности, желания и счастье второй стороны. Ты ведь не заботишься о чувствах молотка, когда забиваешь им гвоздь? Вдруг ему не нравится или больно? Так и здесь: любимый человек воспринимается исключительно как инструмент для достижения цели.

Чем заканчивается слияние? Иногда — ничем особенным. Люди могут жить так годами, врастая все больше и больше. От гармоничных отношений там мало что есть, но терпимо сосуществовать можно.

Чаще всего «слившийся» становится все менее и менее интересен своему партнеру. И начинаются треугольники, страдания, депрессии, попытки суицида и всякие другие малоприятные вещи. В какой-то момент более сильную сторону это достает окончательно, так как жить в постоянном ощущении, что тебя душат, — не особо круто. Случается разрыв.

Есть и сценарий, в котором сам «утопающий» начинает осознавать, что что-то не так — и выныривает. Это мой случай.

Из простых рекомендаций для тех, кто обнаружил у себя или у любимого человека опасные симптомы, могу привести следующий вариант. Фантазируй о том, что ты счастлива в отношениях без слияния. Представляй себе любовь, в которой ты можешь без человека, но хочешь с ним быть. Вполне себе дышишь, ходишь, спишь, ешь, работаешь и получаешь удовольствия, и он — лишь дополняет твою хорошую жизнь. На языке психологов это называется раскачивать установку.

И, конечно, искать, что за пустоту ты, он или вы дружно вместе пытаетесь заполнять. Это лучше делать уже с профессионалом.

> В качестве эпилога. Худшее, что вы можете сделать со своими отношениями, — это слиться. Ибо люди интересны нам морально цельные, а не половинчатые. Да и любовь-то на самом деле — это про быть вместе и наслаждаться этим, а не про быть одним целым и лезть на стенку при попытке отсоединения.

## ГЛАВА 28

# ЗАПОВЕДИ ХОРОШЕЙ ЛЮБОВНИЦЫ

Вообще, я заметила, что стремление к слиянию, о котором мы говорили в прошлой главе, довольно часто встречается у девочек в статусе любовниц. Им кажется, что таким образом гарантий позитивного исхода дела будет больше. Раз уж про ошибки мы с вами поговорили, думаю, пришло время полезных советов.

Итак, если ты оказалась в этой ситуации, то не лишим будет принять некоторые меры безопасности для сохранения себя.

Существование в волшебном мире единорогов — задача непростая. Можно даже сказать — квест. Накал страстей, терзания и метания, особая оценка нашего общества, в общем, много всего веселого и незабываемого. Методом проб и ошибок (как своих, так и чужих) я вычислила простые правила, которые существенно снижают вероятность получения душевного перелома и вывиха мозга у всех участников проекта.

Итак, первое.

## 1. Никакого общения с женой

Ни реального, ни ментального. У тебя отношения с ним. Поэтому с ним тебе и разбираться.

Уж очень часто спрашивают у меня: может, стоит пойти к его жене и все рассказать? Худшее, что может сделать любовница, — радостно отправиться оповещать весь белый свет, а особенно — жену, о страсти неземной. Чужие отношения — это чужие отношения. И не тебе решать, когда и от кого жена узнает о неверности. Ничего хорошего таким способом не добиться. Наивно полагающие, что после раскрытия секретной информации объект незамедлительно будет выдворен к ним, ошибаются. Скорее всего, что он побежит делать вид, что склеивает разбитую чашку любви. Более того, свои отношения с ним испортишь раз и навсегда.

Не одна и даже не две из моих читательниц рассказывали грустные истории о том, как, наслушавшись его стенаний на тему «не отпускает жестокая мегера», решались помочь любимому уже разобраться в непростой ситуации. Отправлялись к жене, дабы расставить все точки и со спокойной душой предаться счастью. Оборачивалось все очень печально. Нерадивый герой-любовник выставлял виновной во всем чересчур активную барышню и возвращался в семейное гнездышко работать над спасением брака.

Но даже не это, на мой взгляд, является самым важным. Подумай: ты правда видишь смысл в общении с мужчиной, который не в состоянии сам принять решение, которого нужно уводить за ручку, еще и плачущего, бесконечно оглядывающегося назад? Надеюсь, ответ очевиден.

> Посему правило первое и железное: **никаких контактов с его семьей**. Не звонить, не писать, «приветы» жене не оставлять, в инициированные ею контакты не вступать.

Да, скорее всего, тебя будут доставать. Жители страны единорогов довольно часто являются весьма плохими конспираторами и палятся где ни попадя. А среди обманутых жен попадаются весьма неадекватные дамы, которые считают, что любовь — это война и нужно срочно разворачивать активные действия. Самые невинные методы их борьбы за мужа — нападки в социальных сетях, активные звонки, смс. Причем не только тебе, но и друзьям, родственникам. Не гнушаются даже детьми. Отчего же не сообщить восьмилетней девочке, что ее мама — шлюха и шалава? Все ж средства хороши. Тут спасают черные списки и полный игнор. Особенно продвинутые могут активно провоцировать личные встречи. Приходить домой или на работу или появляться в публичных местах, где ты часто бываешь. Метод борьбы — все то же игнорирование, а в тяжелых случаях незамедлительное подключение сотрудников органов.

На мужчину в этом случае обычно рассчитывать не приходится, так как он сильно озабочен тем, чтобы защитить себя от скандалов и нападок, которые гарантированно ждут его после того, как ситуация откроется.

Ну и третье правило относительно общения с женой избранника. О том, что между нами, девочками, почти в 90% случаев возникает весьма бурный «роман», я уже писала в одной из глав. Так вот. Любовницы не меньше, чем жены, впутываются в проживание жизни соперницы. Отслеживание социальных сетей, маршрутов, детальное изучение внешности, привычек. Выискивание недостатков. На это очень легко подсесть. Поэтому лучше даже не начинать. А если уж случилось, то начинай бить себя по рукам и отучать.

Во-первых, никакой правды ты там не найдешь. Особенно если факт твоего существования уже открыт. Специально и напоказ будут выставляться фото «счастливой» семьи. Я как-то с большим интересом наблюдала за тем, как девушка, узнавшая не просто об измене мужа, а о том, что у него на стороне еще и ребенок родился, выставив его за дверь, устроила невероятный спектакль в социальных сетях. Фотографии появлялись несколько раз в день, все с мужем и детьми (старые запасы) и подписями о том, какая у них идиллия. Более того, на помощь несчастной пришли подруги, которые в изобилии оставляли под всей этой эпической картиной подписи из серии «идеальная жена и мама», «сразу видно — любимая женщина», «как приятно смотреть на то, как муж любит тебя» и далее в таком духе.

Идем дальше.

## 2. Своя жизнь

**Причем еще более активная, чем та, которая была у тебя до него. В отношениях, где один играет на два фронта, просто жизненно необходимо оставлять себе свою жизнь и себя саму.**

Давай смотреть на жизнь адекватно. Полноценно быть вместе вы не можете. А следовательно, и растворяться особо не в чем. Я все знаю, да, ураган чувств, эмоций и прочее. Но их можно сдерживать и не давать им управлять собой. Это проверено. Одна из самых частых ошибок, которую мы радостно начинаем совершать, — подстройка под его ритм жизни и его планы. Ровно через пару месяцев такого существования ты обнаружишь себя сидящей у окна в ожидании, сможет ли он вырваться. У него есть вторая жизнь? Отлично, у тебя тоже. Кстати, напоминаю: влюбился он в тебя активную, занятую, со своими планами. Как только усядешься, как красна девица, косу чесать, грустно глядя на дорогу к дому, — пиши пропало.

Кроме того, самостоятельность в рабочем и финансовом вопросе сродни правилам безопасности. Это касается, кстати, всех женщин, независимо от того, в каких отношениях они находятся. Грустно признавать, но в мире существует много мужчин, которые при разрыве или хотя бы его попытке начинают грязно манипулировать денежными вопросами. И если ты, не дай бог, зависима в этом плане, выбираться будет в разы труднее.

## 3. Держи скамейку запасных вариантов

**Да-да, я знаю, у тебя любовь и все серьезно. Но и не обязательно с ними, запасными, с ходу предаваться бурной страсти.**

Во-первых, когда спадет пелена сумасшедшей влюбленности, до тебя начнет доходить, что ты-то у любимого не одна. И рано или поздно эта мысль сильно повлияет на самооценку. И начнет поедать тебя изнутри. Кроме того, периодически (а если попадется тебе дипломированный житель страны единорогов, то и весьма часто) совместные планы с мужчиной будут срываться, а время нужно чем-то занимать. Да и вообще, кто знает, может быть, новый знакомый окажется тем самым, полностью твоим.

Разумеется, твой избранник, который проживает с женой «вынужденно» и «верен исключительно тебе», будет против соперников. Лично мое мнение: вот тут не лишним будет напомнить, что он позволяет себе жить двойной жизнью и, чем бы он это ни прикрывал, сосуществует параллельно с другой женщиной. Следовательно, ты имеешь полное право на наличие поклонников, дружеских свиданий и хорошего времяпрепровождения. **Люди в отношениях должны быть равны. И если один творит все, что ему взбредет в голову, то второй имеет полное право на то же самое. Ну или хотя бы на то, чтобы всегда были варианты, куда податься.**

## 4. НЕ РАССЧИТЫВАЙ НА ЕГО УХОД

**Есть у нас склонность видеть отношения и принимать в них решения не исходя из того, что есть сейчас, а основываясь исключительно на том, что там гипотетически будет дальше. В таком сценарии это может сыграть очень и очень плохую шутку с тобой.**

Не нужно задавать вопросы «ну когда», бегать к гадалкам, искать 100 признаков, штудировать «Яндекс», изводить себя бесконечными мыслями. Ведь вариантов ответа всего два — он либо уйдет, либо нет: 50 на 50. Пока ты можешь безболезненно принимать такой расклад — радуйся чувствам, эмоциям, впечатлениям. Если ситуация стала для тебя мучительной — прерывай ее. Поверь, ничто не помешает мужику разобраться с обстоятельствами и вернуть тебя, если ты для него — та самая. И традиционно напомню о том, что это его решение никак не будет зависеть от количества вложенных тобой сил, времени, чувств. Хочешь отдавать просто так — отдавай. Хочешь гарантий и отдачи — это не сюда.

## 5. НЕ ОПРАВДЫВАЙ ЕГО

Он не разводится ради детей, имущества, болезней родственников, готовит почву и так далее. На самом деле он не разводится и живет на два дома, потому что так ему хочется. Потому что он, твой любимый, самый нужный, желанный и единственный вот такой человек. Других причин нет. И процесс их поиска только отнимает твои силы. Лучше поговорите про искусство. Или про секс.

Любовный треугольник — ситуация сама по себе крайне сложная. И эмоционально, и физически, и, да что уж скрывать, материально тоже. **Так вот, не усложняй.** Вам и без того хватает терзаний, чтоб подливать масла в огонь сомнениями, пыточными разговорами о перспективах будущего, анализом каждого шага и вдоха, вечным вопросом «почему ты не уходишь». Я понимаю, что хочется. Что вопросов очень и очень много. Но ты никогда не получишь честных ответов от человека, который уже всех обманывает. Вот такого ты себе выбрала и даже полюбила. Ждать, что ты, прекрасная нимфа, сейчас его изменишь, — глупо. Не изменишь. Либо принимай. Либо... Ну, ты поняла.

## 6. НЕ ИСТЕРИ

Мужчины ненавидят женскую истерику, а уж в случае, когда с тобой пытаются выстроить отношения, отличные от текущих, тем более. Вопросы задаем спокойно, претензии высказываем с положительной точки зрения. Согласись, есть разница между «ты мало уделяешь внимания мне» и «так здорово видеть и слышать тебя часто, сразу люблю тебя сильнее». Суть одна и та же, а вот подача эффективнее. Не работает — задумываемся о целесообразности совместного времяпрепровождения.

## 7. ДРУЖБА

**Искренняя. С поддержкой и все тем же восхищением, о котором я так много говорила.** Мало кому после многих лет совместной жизни и, скорее всего, взаимных обид удается сохранить эти важные составляющие. Люди действительно часто живут по привычке, накопив обиды и взаимные недовольства. А ведь ему, пусть и трижды коварному изменнику и предводителю стада единорогов, тоже хочется быть и самым лучшим, и умным, и красивым, и чтоб в него верили, и чтоб любовник он супер. Так что, пока он тебя действительно восхищает, говори об этом как можно чаще. Участвуй в его делах и увлечениях, обсуждай проблемы, помогай по мере сил. Эй, только не забывай важное правило — не вместо своей собственной жизни.

# 8. Слушай, что он говорит, и смотри, что он делает

Сейчас поясню. Если возлюбленный прямым текстом говорит тебе, что с женой разводиться не намерен, значит, так оно и есть. Я часто сталкиваюсь с сопливыми рассказами о том, что «вот я так ждала, так ждала, а он так и не развелся, подлец». Спрашиваешь: «А он собирался? Обещал тебе это?» В ответ: «Нет, но я думала, передумает». Так вот, дорогие мои. Решение о том, вписываться в отношения или нет, продолжать их или нет, тратить на них время или нет, должно опираться на реальность. А не на то, что кто-то, когда-то, может быть, передумает.

Что касается действий, то тут как раз про истории, где все много лет пытаются развестись, но постоянно что-то мешает. Понятно, твое появление в его жизни было, возможно, прогнозируемо, но все равно заранее к нему он не подготовился. И какое-то время на решение ряда вопросов ему понадобится. Коль уж эта тема у вас поднимается, то неплохо бы установить сроки на весь этот процесс. И дальше смотреть, что происходит. Если они нарушаются, то делай выводы о том, что на деле никто ни к какому разводу не готов и когда сподобится, да и вообще сподобится ли — неизвестно. Дальше действовать и выстраивать отношения следует исходя именно из этой концепции.

## 9. НЕ ШАНТАЖИРУЙ ЕГО

Во-первых, это низко и подло и не имеет ничего общего с любовью. Ставить близкого человека, простите, раком уж никак не вяжется с неземной и волшебной историей. Во-вторых, возможно, ты и добьешься какого-то результата, но помни о том, что если ты получила человека вот таким путем, то при любой удобной возможности он сбежит.

Обобщая и подводя итог, сделаем вывод: **главное правило хорошей любовницы — находиться в отношениях, которые приносят ей радость.** **А все, что изматывает, растирает и доставляет дискомфорт — не ее выбор. И помните, если в отношениях плохо уже сейчас, да так, что хочется уходить, вряд ли станет лучше.**

**Имеет ли смысл вкладывать силы, тратить время на ожидание и каждый день перемалывать себя в мясорубке ревности, сомнений, неоправданных ожиданий? Лично мое мнение — нет. Отношения, особенно такого рода, должны или приносить счастье, или не существовать в твоей жизни вообще.**

ГЛАВА 29

# ТЫ ЗНАЛА, НА ЧТО ШЛА

**На одном из пунктов из моего списка правил я хотела бы остановиться подробнее. Ибо уж очень часто эта фраза становится манипуляцией, причем довольно болезненной.**

«Ты ведь знала, что я женат, чего же ты теперь хочешь?» Прямо вот каждый раз, когда слышу в рассказах про «знала, на что шла, и теперь должна или не должна…», чувствую, как просыпается во мне одичавший мистер Выдринктон (те, кто смотрел «Зверополис», поймут).

Есть категория мужчин, представители которой очень любят пользоваться этой волшебной фразой.

Вроде как, с одной стороны, он действительно прав. Наличие жены, разного количества детей и ипотеки не скрывал. Более того, может быть, сразу обозначил, что разводиться и не собирается вовсе. Ведь по-честному мужик пытался сделать, а все равно виноват. И козел. И надежд не оправдал. Я даже его понимаю: нафантазировала себе девушка, что, мол, со временем все изменится, а ему теперь разгребай, утешай и еще решения какие-то принимай. Как тут не взбеситься и не напомнить, кто на какое место сразу метил. Так-то оно так, но есть и другая сторона медали.

В начале романа мы, опьяненные первыми впечатлениями, свежими эмоциями, гормонами и тотальным, страстным, увлечением, очень редко думаем о том, что там будет потом и на что мы вообще идем. На днях мы с моим мужчиной проводили очередной «тюлений вечер» за просмотром сериала «Ночной администратор». И вот, главная героиня, любовница важного мафиози, все лезет и лезет к его «правой руке». Хотя и ей, и ему сто раз было сказано: если что — всех на куски. «Что ж она за овца-то, а! И сама ведь подставится, и любовничка сгубит», — безапелляционно заявила я, жуя салат. Мужчина мой выразительно посмотрел фирменным взглядом «ну ты вообще» и спросил: «А что, ты никогда не поддавалась порывам, не задумываясь, что там дальше?» Я поспешила вернуться к салату, потому как, ну конечно, поддавалась, и не раз. Если бы мы всегда были способны в романтической горячке проанализировать, что там будет дальше и как все может или не может сложиться, жизнь наша была бы гораздо проще и… скучнее. Но, как известно, мы не роботы и даже при явных признаках предстоящей беды продолжаем грациозно спускаться в подвал под тревожную музыку.

Поэтому нет, скорее всего, ты не знала, на что шла. Потому что тогда все казалось очень легким, веселым и романтичным, ведь не было ни сильной привязанности, ни любви в глубоком ее понимании, ни совместно прожитых дней, ночей, событий. Было лишь замечательное, искрящееся, переливающееся чувство, которому все нипочем. Жена — да ничего. Дети — бог с ними.

Что было дальше? Судя по тому, что вообще возникла тирада про «знала, на что шла», отношения из легкого увлечения внезапно переросли в весьма серьезные. По крайней мере, для одного из участников проекта. И вот тут как раз и разгорается мое «негодуэ» в отношении того, кто этой фразой пытается прикрыть одно место. Ибо ведь есть у тебя глаза и неплохо было бы их открывать иногда и замечать, что там с человеком близким происходит. Как он вообще? Не смотрят ли на тебя восхищенно единорожьим взглядом и не сошелся ли на тебе уже клином свет? Понятно, что за чужие иллюзии ты вроде как ответственность и не несешь, но, чтобы не было мучительно больно, иногда их лучше разрушать на корню. Несомненно, он молодец, что сразу расставил все точки над «ё» и обозначил границы. Но следить за тем, чтобы они не нарушались, тоже не помешает.

Хотя чаще всего отношения, неожиданно и для нее, и для него, приобретают серьезный оборот. И вот случается нестыковка — она с нетерпением стучит лапкой: ну когда уже, когда все обещания исполнятся? А он правдами и неправдами старается момент принятия непростого решения оттянуть, пуская в ход реальные и нереальные аргументы. Там уж у кого на что фантазии хватит.

Изобретательности человека, который всеми силами пытается сохранить хрупкую гармонию между двумя душами, можно только позавидовать. Но рано или поздно (лучше, конечно, рано) фантазия иссякает, как и силы придумывать очередные развлечения. И вот тогда на сцену, грохоча арматурой и звеня цепями, выезжает контраргумент, бронетраспортер — «ты ведь знала, на что шла».

Это — защитная позиция. Ты просишь или, хуже того, молишь о решении, которого у него нет. Ну вот нет — и все тут. Не может он развестись.

Когда нам нечего больше сказать, нечем обороняться и мы уже не знаем, как еще сделать хорошую мину при плохой игре, нас загнали в угол, мы защищаемся. Причем, что важно, отстаивает он не только себя и свою правоту, но и, как ни странно, ваши отношения. Ведь если он станет плохим, вот прямо посерьезке, а не на уровне провокационной цыганочки с выходом «я козел/мудак/слабак/ничтожество», то ведь ты и удалиться в туман можешь, а он этого ой как не хочет.

«Ты все знала» — прекрасный инструмент защиты и разворота ситуации в свою сторону. Во-первых, он быстро снимает часть ответственности и непосильного груза, во-вторых, ведь реально работает. Он же правду говорит, и не поспоришь особенно. Реально была в курсе. Силой никто не тянул. Правду о семейном положении ты знала с самого начала. И чего до мужика докопалась? Ну не получается у него быстро все там разрешить, ну ты-то ведь знала. Помоги же ему, раздели с ним эту ношу и чувство вины за заваренную вашими общими силами кашу.

А тут еще друзья и близкие безуспешно пытаются защитить нас от нас же самих, используя ровно такой же прием. Только перевод у него в этом случае немного другой. Им неприятно видеть, что мы мучаемся, и они искренне недоумевают: «Ну зачем ты это делаешь! Прекрати немедленно, я ведь волнуюсь за тебя».

> Кстати, эту манипуляцию «знала, на что шла» мы с завидным успехом применяем и к самим себе, без какой-либо помощи со стороны. Это — отличный способ подольше посидеть в отношениях, которые уже болезненны и мучительны, но на разрыв никак не решиться. Стоит только напомнить себе, что ты девочка разумная и сама в это вписалась, как сразу включается «ну коль знала, так потерплю еще немножко». А потом еще немножко. И так до победного.

У меня плохие новости. Ты не знала. Ну правда, не знала. Ты, скорее всего, не была в курсе, что ваша неземная любовь и страсть превратятся в бесконечное вранье, ожидание, обещания и метания туда-сюда. Скорее всего, ты не предполагала, что так глубоко увязнешь в отношениях и в один прекрасный день обнаружишь себя посреди чужой жизни. Никто тебе эту картинку там, на старте, не показывал. Хотя нет, возможно, тебя пытались предостеречь, но часто ли мы прислушиваемся к советам? А еще ты была не в курсе, что, если человек говорит о том, что все плохо в семье, жена — монстр, и он уже скоро оттуда уйдет, это на самом деле, значит, что никуда он не собирается. Очень вероятно, что тебе и в голову не приходило, что твой рыцарь на белом коне будет шастать туда-сюда из дома в дом, в худшем случае строгая с вами обеими детей (последними комментариями в инстаграме навеяло), в лучшем — делая вялые попытки развестись и раз за разом откатывая все к началу.

Список можно продолжать бесконечно. Закончится он, скорее всего, тем, что нет, ты не знала, что тебе придется ставить прямое условие и в ответ на довольно объективные (я надеюсь) просьбы и предложения, слышать опять «ты знала...».

Что делать? Дать себе право на незнание и отстаивать его. Как перед ним, так и перед собой. Да, тогда ты осознанно шла на роман с ним, будучи информированной о том, что есть некоторые обстоятельства. О том, что будет дальше, о том, что в итоге ты эту роль не потянешь и отношения такого рода тебя через энное количество времени устраивать перестанут, ты не знала. Вот только сейчас это выяснилось. Самой грустно, конечно, от этого знания, но фарш невозможно провернуть назад. Поэтому жить придется в новой реальности. С этой, безусловно, важной информацией. Что, вероятно, повлечет за собой некоторые изменения, но лучше уж они, чем бесконечные слезы-сопли и чесание косы у окна.

Ты имеешь право на то, чтобы твои чувства или желания претерпели какие-то изменения. И никто, даже самый любимый человек, не может диктовать тебе, исходя из того, что ты когда-то сама выбрала такой путь. Ну а себе стоит напоминать почаще, что ты — не идеальная баба-робот. Их вообще в природе не существует. Кто-то придумал этих мифических существ, способных без ущерба для себя вечно проглатывать, ждать и, несмотря на обиду и неоправданные надежды, сиять и цвести. Живые люди устроены по-другому. Иногда давать себе право не справиться с какой-либо ношей (а в этом случае она, кстати, вообще не твоя) — очень полезно для будущего счастья.

# ГЛАВА 30

# НОРМАЛЬНЫЕ ОТНОШЕНИЯ

«Это вообще „нормально"? Это можно позволять по отношению к себе? Как вы думаете?» — каждое второе отправленное мне сообщение начинается с этих слов. Речь может идти об абсолютно разных вещах. От того, что бойфренд невинно переписывается с подругой в «Фейсбуке», и до конкретного и особо не скрываемого двоеженства. Это нормально, что он продолжает общаться с женой? А то, что много работает? А то, что сказал мне вот это, а не то? А как бы вы отреагировали на такое?

Я стала наблюдать не только за своими читателями, но и за друзьями, да и просто «подслушивать» разговоры на форумах. И что вы думаете? Все повально интересуются друг у друга, нормально ли то или другое в их отношениях.

**Получается удивительная штука. Оценку правильности и приемлемости нашей любви, нашего самого сокровенного, мы готовы доверить кому угодно, только не себе.** Случайным собеседникам в социальных сетях, друзьям, психологам, некой Нике Набоковой. Иногда у меня появляется ощущение, что люди настолько не знают, не слышат, не понимают себя, что вообще не ясно, как они умудряются дышать, есть и даже создавать хоть какие-то отношения.

Знаете, мне кажется, это как раз самое страшное, что принесли в нашу жизнь социальные сети. Полное отсутствие собственного восприятия и точки зрения. Мы бесконечно подглядываем, как там у них. Обливаясь ядовитой слюной, смотрим на счастливые картинки «идеальных» пар, не задумываясь ни на секунду о том, что это просто кадр. Один из тысячи моментов их жизни. А то, что за этим снимком сияющая барышня может получать вполне конкретные оплеухи — никто и не думает. Мы бесконечно сравниваем себя с теми или иными людьми, заходимся в ядовитой зависти и горечи, если нам кажется, что у них лучше, и начинаем судорожно копировать. Одна моя знакомая натурально заходилась в истерике оттого, что ее молодой человек не постил совместные фото у себя в аккаунтах. Устраивала ему разборки, скандалы, тыкала в лицо профилями других мужчин, в которых содержались фото с подругами. Тот факт, что юноша вообще старался не размещать никаких фото, кроме неких пейзажей и абстракции, не наталкивал ее на светлую мысль о том, что человек просто не хочет вообще выставлять что-то из своей жизни напоказ. Кругом навязывание сценариев, правил, единой линии «здоровых» отношений — места собственным чувствам и восприятию реальности почти не остается.

**Что же такого страшного в том, чтобы спокойно признаться себе и любимому человеку в отсутствии этого пресловутого комфорта и гармонии?** Почему мы так боимся выяснить все с ним? Как правило, из соображений: а вдруг он ответит не то, что я желаю услышать? Или хуже того, не ответит вообще. Или ответит, но ничего не будет делать. А тут и много времени вместе, и чувства, и общие дела. Может, оно как-нибудь само изменится?

Знаете, за любимый постулат женщин России «стерпится-слюбится» я бы натурально давала в нос. Потому что вот этой чудной философией калечатся люди. Типа, я вот еще немного подожду, и может, что-то пойдет по-другому. А может, оно вообще и так нормально. В полутонах, с вечно неудовлетворенными потребностями, стремительно падающей самооценкой.

У нас почему-то напрочь сбито правильное понимание важности и правильности обозначения своих потребностей. Да что там обозначения, хотя бы их понимания для самого себя. Во-первых, добрая часть людей просто ждет, когда же человек сам догадается. И более того, страшно обижается на него, если эмпатия у бедняги не особо развита. Не догадался, как надо обо мне заботиться, — это нормально вообще?

Во-вторых, встречается совершенно дикая подмена понятий «требовать/ставить условия» и «обозначать свои желания и потребности». Это ведь две полярно разные вещи. Начиная от сути и заканчивая манерой их выражения.

Если в первом случае вы, простите за откровенность, ментально ставите человека «раком» и в принудительном порядке требуете что-то, то во втором оставляете ему свободу выбора. Вот это делает меня счастливее, а вот это доставляет неприятные ощущения. Дальше — его решение, исходя из которого вы уже можете делать вывод про отношение к себе и целесообразность продолжения общения именно для вас, а не для кого-то другого.

Ну и, пожалуй, самое важное. Мы все разные. То, что хорошо и нормально одному, совсем не подойдет другому. Поэтому, как бы ни хотелось переложить решение, как поступить в своих отношениях, на кого-то другого, придется все же возиться самостоятельно. Сама, сама, сама. Немного о том, как это делать, читайте в следующей главе в форме практических советов.

## ГЛАВА 31

# МОЕ ИЛИ НЕ МОЕ?

Я лежу у него на плече, и мне кажется, что сейчас — момент абсолютного счастья, такого, что любит тишину. И хочется остановить минуты и вообще не вставать. Идеальная гармония. Картина поменяется через день. Он уйдет на работу, не поцеловав, или не позвонит вечером, как обещал, или еще что-нибудь такое. Я буду пытаться разобраться. То ли это я докапываюсь по мелочам — ведь вот же они, моменты гармонии, значит, все хорошо. То ли на самом деле все не так, как нужно мне. В худшем варианте (а я точно пойду по нему) будут привлечены друзья-советчики. И мы всем скопом будем оценивать, в каких отношениях я все же нахожусь, в комфортных или не очень.

Знакомо? Уверена, что знакомо. Но стоит научиться отличать одно от другого.

Итак, как понять, твое это или нет.

Первое, с чего нужно начать при появлении мысли «он мне не подходит», — выяснить, точно ли «тебе». А не подруге, маме, брату, свату, девочкам с форума. Делается это просто. Определяешь моменты, в которые тебе становится плохо, и ситуации, в которых возникает мысль о том, что нужно расставаться. И смотришь, насколько в них замешаны какие-то другие люди и их мнение. Дословно — отвечаешь на вопрос «как я поняла, что что-то не так». Если выясняется, что поняла не ты, а Машка или Princessa94 с «Бейбиблога» — очевидно, что именно этой проблемы между тобой и мужчиной нет. Есть другая — привлечение посторонних людей для решения личного конфликта, который вполне может появляться из-за несоответствия требований и реальности.

> *Очень часто мы берем человека и радостно наделяем его качествами, которыми он по природе своей обладать не может. И как только начинает выясняться, что с их проявлением есть проблемы, в ход идут обиды, разочарования, бесконечные требования и попытки смириться.*

Твоя задача — сравнить свои требования с любимым человеком. Простейшим способом: «Когда он делает так, я обижаюсь. Надо делать вот так». Он может так делать? Он так когда-то делал? Это в его характере? И, что немаловажно, существо, способное на соблюдение всех твоих требований вообще существует в природе? Могу ли я представить себе реального человека, который именно такой и делает все «от и до» по списку?

Я не устаю говорить о том, как нежно «люблю» все женские паблики, нашпигованные цитатами и сводом правил на тему идеального мужчины и его поведения. Чем дальше, тем больше они похожи на прекрасную «желтую» газету про НЛО. В ней часто пишут про невероятных бесчувственных роботов, способных на любые поступки.

На секунду отступлю от практической психологии. Знаете, мне кажется, что нет ничего скучнее идеального мужчины. Да и вообще, идеального человека. Это ж как стоять-то с ним рядом, если он идеален? А тем более жить? Можно просто повеситься от обыденности и предсказуемости. Лично я очень боюсь этих идеальных людей. Они какие-то неживые, выверенные аж до тошноты.

Вероятнее всего, в процессе сравнения воображаемой картинки и реального мужчины ты обнаружишь ряд нестыковок. И поймешь, что избранник твой не такой и сделать его другим не получится. Да и не стоит.

Дальше пора покопаться в том, кому конкретно нравится идеальная картинка, тебе или обществу? Очень может быть, что откроется интересная вещь. Когда ты начнешь отделять свое от чужого, большая часть претензий и вопросов к мужчине отпадет. Так как его манера говорить не по душе твоей маме, а не тебе. А то, как он пьяный поет, — твоей подруге. То, что он не дарит цветы каждую неделю, удивляет брата, а не тебя. А то, что счастливые влюбленные выставляют пять фото в день в инстаграм, ты узнала вообще от незнакомых людей. Ну и так далее.

И последний простой прием. Представь себя рядом с этим человеком через определенные промежутки времени. Например, полгода, год, два года, пять, десять лет. Прямо детально. И, что самое важное, учитывая то, что он не изменился. Остался таким, как есть. Во-первых, сразу поймешь, сколько времени ты еще сможешь провести в отношениях именно такого, некомфортного, характера и через какой период нужно действительно что-то менять. И что именно менять, конечно. Посмотри, какие твои требования и на каком этапе отваливаются. Те, которые останутся даже на продолжительном отрезке, оставляй и придумывай, что с ними делать. Вероятнее всего, они реальны и действительно нужны тебе для счастливого сосуществования.

## ГЛАВА 32

# НЕ ВЫНОСИ МНЕ МОЗГ!

Пройти мимо этой фразы, рассуждая про гармонию и всяческое любовное счастье, просто невозможно. Ибо «не е..и мне мозг» уверенно лидирует в хит-параде самых часто употребляемых мужчинами обидных и неприятных женскому уху формулировок. Мне регулярно пишут девочки с рассказами о том, что на любую свою просьбу касательно отношений получают в ответ эту нетленку, отчего страшно расстраиваются и не знают, как реагировать. Думаю, что ты, моя дорогая читательница, хоть раз в жизни да и слышала сие в свой адрес.

Вообще, как ни странно, формулировка «не выноси мне мозг» является защитной. Цели обидеть, задеть или причинить боль говорящий ее, как правило, не преследует. А вот обороняться он может от нескольких вещей. Каких? Сейчас будем разбираться.

## Он правда не понимает, о чем идет речь

Нам свойственно злиться, если от нас требуют неизвестно чего, еще и довольно эмоционально. Представь, что приходит к тебе твой мужчина с трагическим лицом. Садится напротив. Сначала пару раз тягостно вздыхает, отводит глаза и долго смотрит в никуда. А потом, набрав побольше воздуха, начинает пространный монолог о том, как сильно он страдает от того, что ты не любишь высшую математику. И ты обязана ее полюбить. Потому что, если ты этого не сделаешь, между вами вообще ничего общего не останется. На середине монолога, в худшем варианте сценария, он начинает плакать, громко всхлипывать и обвинять тебя в том, что ты отвратительная женщина, коль не хочешь разделить с ним любовь к интегралам и дифференциальным уравнениям. Твои чувства? Если с собственными границами все хорошо — раздражение и желание немедленно все это прекратить. Что и приведет, скорее всего, к пассажу из серии: «Милый, не выноси мне мозг, люби свою математику сколько влезет, а меня не трогай».

Все то же самое происходит с твоим мужчиной, когда он слышит что-то абстрактное про «мне не хватает внимания», «я не чувствую, что ты меня любишь», «мне неспокойно» и так далее. А причина этого кроется в тотальной разнице воспитания мальчиков и девочек и некоторых вещах из чувственной сферы, которые тебе могут казаться очевидными, а для него — птичий язык.

## Важное о воспитании мужчин

Мальчик в детстве постоянно сталкивается с запретом на проявление, да что там на проявление, даже на наличие любых человеческих чувств. Не плачь — ты же мальчик. Терпи — ты же мужик. Уступи — так делают все дяди. Так не говори, того не делай — это не по-мужски. Обратите внимание, если нюни распускает девочка, она — милый капризный цветочек. А если мальчик, он — фу, тряпка, так нельзя.

С самого детства нашим мужчинам активно ставят всевозможные эмоциональные блоки. У них на подкорке отложено, что проявлять свои эмоции — плохо, нельзя. Чувствовать что-то, кроме простого набора ощущений, тоже. И в принципе, да ради бога, ставят и ставят. Характер воспитывают и все такое.

Настоящий квест начинается потом.

Вырастая и становясь взрослыми, мальчики начинают получать настойчивые требования ровно обратного. От нас с вами.

Что ты такой черствый?

Ты совсем не говоришь мне о своих чувствах.

Ты недостаточно меня любишь.

Ты не ощущаешь, что мне нужно.

И если избранник не дает эмоционального водопада, то его начинают ментально бить сковородой.

А как он должен это делать, если ему в собственных ощущениях не разобраться? Эмпатия не работает в одну сторону. Люди, которые на интуитивном уровне умеют определять, что там происходит с находящимися рядом, прежде всего отлично понимают все оттенки собственных переживаний. Мужчины же этого делать не умеют. Им с детства запрещали. Они даже в кабинете психотерапевта оперируют понятиями «хорошо» и «плохо», а на расшифровку этих простых слов уже не способны.

> Честно говоря, любимое женское «мне не хватает внимания» и для меня тоже темный лес. Что интересно, если просишь барышень описать, что должно происходить, чтобы хватало, они впадают в ступор и сформулировать четкие пункты могут только через некоторое время и после ряда наводящих вопросов. Согласитесь, довольно странно ожидать, что другой человек поймет, что от него требуется, если ты сама этого не понимаешь.

Итак, что делать? Перед тем, как приходить с постным лицом и душераздирающим рассказом о том, чего тебе не хватает для счастья, нужно разобраться, о чем конкретно ты будешь говорить и что хочешь получить в итоге.

Объясню на простом и самом распространенном примере. «Мне не хватает внимания» — это ни о чем. Это абстрактно. У каждого из нас, и у твоего мужчины в том числе, свое понимание проявлений внимания и его необходимой дозировки.

Поэтому

1. Берем листочек и пишем, что конкретно является для нас необходимыми знаками внимания. Например, звонки в течение дня, пожелания спокойной ночи, цветы раз в неделю, совместные походы куда-то.

2. Выбираем самые ключевые моменты, которые помогают именно тебе, а не Маше с форума, чувствовать себя нужной и любимой, и получаем более-менее четкую картинку.

3. Далее переходим к следующему пункту: что мы хотим получить в итоге. Ну тут, надеюсь, все ясно. Цветы, звонки, театр по четвергам — подставь нужное. Важно: если в этом пункте у тебя появляется что-то из серии «хочу, чтобы он чувствовал так или так», сразу прикрывай лавочку. Это значит, что ты действительно «е..шь мозг».

4. И самый важный, на мой взгляд, шаг — ответ на вопрос, может ли конкретно этот человек давать тебе то, что ты прописала в предыдущих пунктах. Не является ли он случайно врачом в экстренной хирургии, у которого действительно за день может не быть минуты на пописать, не то что на позвонить. Или, может быть, у него аллергия на цветы. Или он не любит театр и твою маму (имеет право). Если может — затевай разговор, но без лишних соплей и эмоций, желательно, применяя формулировку «когда ты делаешь/не делаешь так, я чувствую ...». Причем, в «делаешь» должно быть конкретное действие, а в «чувствую» конкретное ощущение. Например, «когда ты игнорируешь меня, я страдаю» — это неправильно, «когда ты не отвечаешь на мои звонки, я тревожусь, что с тобой что-то случилось» — верно.

А вот если выясняется, что нужного тебе у человека, похоже, нет, то ты просто требуешь невозможного. Пожалуй, самая распространенная ошибка женской половины в отношениях — установка «я его переделаю». Мы умудряемся проявлять в этом деле просто невероятное упорство. Эх, вот бы энергию, которую нежные существа тратят на выдалбливание немилых нам качеств, черт характера, увлечений из объекта страсти, да в мирное русло — горы можно свернуть.

Суть в том, что практически все мы, без оглядки на половую принадлежность, довольно болезненно относимся к попыткам изменить нас, наши привычки и привязанности. Надеюсь, ты понимаешь, что я сейчас не про бытовые вопросы из серии «не писать мимо унитаза и не класть грязные носки к чистым», а про более глобальные вещи из серии «не ходи туда с друзьями, только со мной, на рыбалку теперь нельзя, не слушай эту музыку, смотри со мной то, что нравится мне, вот этот мальчик на тебя плохо влияет, тебе нужно меньше работать, ведь теперь есть я, тебе вообще нужна другая работа, ты должен хотеть детей, жениться, быть вместе до гроба» и далее по списку.

Есть весьма простой способ проверить, не требуешь ли ты от человека невозможного. Отбрасываем в сторону всю историю про «мой Вася самый лучший, потому что я его люблю» и смотрим на него как на реального человека: что у него есть, чего у него нет, какой он, с какими качествами (как хорошими, так и не очень).

Например, ты хочешь, чтобы бойфренд участвовал в решении твоих проблем. Он был в этом замечен ранее? Он не проявляет инициативу только в отношении твоих дел, или ему вообще пофиг на все, что происходит вокруг? Не случилось ли так, что мужчина, за которого ты выходила замуж, — абсолютно творческий человек, писатель, музыкант, дизайнер (нужное подчеркнуть), а тебе очень хочется, чтобы он был топ-менеджером в «Газпроме», ходил в костюме-тройке и работал с 9 до 18, а после ехал с тобой в дорогой ресторан, и чтоб без всяких этих креативных идей, творческих кризисов и так далее? И, для закрепления понимания, вдруг твой избранник — тусовщик, которому нравятся шумные компании, постоянная «движуха», и он абсолютно не склонен к романтическим вечерам дома, которые ты считаешь за высшее проявление любви.

Посмотрела? Оценила реальные возможности реального человека в реальном времени? Есть у него в базовом наборе черт характера то, что ты пытаешься «выбить» своими требованиями? Если нет, то он будет всеми силами защищаться. Если есть и он готов работать над отношениями, можно попробовать следующее: для начала признать, что никакой власти у тебя над ним нет. Претензии и список требований в разговоре замени на вопрос: как он видит развитие сложившейся ситуации. Оцени его вариант: приемлем ли он для тебя, можно ли его объединить с твоим и прийти к какому-то компромиссу. Озвучь свои идеи решения проблемы. Одно дело, когда ты приходишь с упреком, другое — с предложением делать немного по-другому.

Важно: мысленно дай ему право на отказ и будь готова к нему. Чтобы обошлось без фырканий, обид, игры в молчанку: они лишь усугубят ситуацию и негативно повлияют на отношения в целом. Если в ответ на свои предложения ты услышишь «нет», лучшее, что можно сделать, — ответить: «Окей, я понимаю, ты пока не готов это сделать». И дальше тебе уже решать — можешь ты еще немного подождать, посмотреть и так далее, или ситуация невыносима и неприемлема для тебя.

# ТЫ РАЗДРАЖАЕШЬ БЕСПОМОЩНОСТЬЮ

Это еще один прием, который вызывает защитную реакцию в виде «не выноси мне мозг».

Давайте честно: когда нам хочется видеть рядом с собой существо, которое полностью зависит от нас и в прямом смысле умрет, если с ним не «няшиться», мы заводим котенка. Или собачку. Или кролика. Когда люди вступают в отношения с другими людьми, то они преследуют несколько иные цели. И уж точно не жаждут получить себе в питомцы половозрелую особь, не способную на минимальные самостоятельные действия, решения, да и существование в целом. Все эти хлопающие девичьи реснички, хрупкие плечики и ключицы, трогательное «милый, помоги мне, я тут не понимаю» очень хороши, но в меру. Чувствовать себя рыцарем в золотых латах 24/7 никто не стремится. И в итоге бесконечные «не могу, не умею, не получается, спаси, помоги» начинают вызывать раздражение.

Так вот, если на вопрос самой себе «я хочу, чтобы он понял... что?» ты отвечаешь «что я без него не могу», «что мне нужна забота», «что я девочка» и т. д., то, вполне вероятно, проблема именно в этом.

## План действий

Для начала **почувствовать себя взрослой**. Это довольно просто, ибо фактически оно так и есть.

Затем **избавься от капризного тона**. Взрослых людей он раздражает и вызывает желание запульнуть чем-нибудь тяжелым в голову.

Обращайся к своему мужчине как к равному, а не как к родителю. Когда взрослый человек просит объективно нужной помощи у другого взрослого человека — это воспринимается адекватно. Если тебе нужно о чем-то попросить — **проси прямо и без демонстрации беспомощности**. То есть «у меня не получается, хнык-хнык» замени на «можешь ли ты сделать для меня вот это?».

## Он игнорирует твои чувства

Что ж, мы разобрались с вариантами, в которых «не е..и мне мозг» имеет под собой реальные основания. Но есть еще один, самый неприятный. Почему неприятный? Потому что в этом случае ничего не изменится, даже если ты успешно разберешь свои просьбы и претензии на атомы и молекулы, облачишь их в самые правильные и нейтральные формы.

*Часто, очень часто просьба оставить мозг в покое звучит, когда человек ста-*

раеться игнорировать твои чувства и переживания. И в этом случае у меня плохие новости — сохранить отношения в таком ключе вряд ли представляется возможным.

Можно, конечно, на какой-то период засунуть свои потребности и хотелки куда подальше. Но, скорее всего, либо они рано или поздно прорвутся наружу, либо ты просто превратишься в вечную жертву и терпеливую великомученицу без прав на свои чувства.

Как понять, что дело не в тебе? Довольно легко. Если все изложенное выше не принесло результатов — скорее всего, мужчина игнорирует твои чувства.

Для простоты я обобщу перечисленные способы. Итак, если ты, затевая разговор, ставишь перед собой цель что-то сообщить, а не чего-то добиться; если тобой не движет желание вызвать у другого человека правильные, на твой взгляд, чувства и заставить его стать другим; если ты дала ему возможность выбрать удобное для него время для разговора и искренне интересуешься подходящими для него вариантами развития ситуации, убрала все требовательные формулировки, упреки и обтекаемые фразы заменила на четкую конкретику, то тема про «е...ь мозг» к тебе неприменима. И коль при соблюдении всех этих условий от тебя отмахиваются, проблема в том, что кое-кто действительно не сильно заинтересован в твоем присутствии в его жизни.

Как поступить? Если есть склонность к мазохизму, можно задержаться ненадолго и как следует пострадать от связи с мудаком. И развить бурную деятельность по превращению его в человека, ежели есть свободное время и хочется острых ощущений и усилий, отправленных в черную дыру мироздания. Если нет, то ноги в руки и вперед к тем, кому будет интересно, как там себя чувствует человек рядом с ним.

# ГЛАВА 33

# ПРО КОВАРНЫХ ЖЕНЩИН

Итак, мы с вами немного разобрались с основными трудностями на пути к взаимопониманию и счастью, так что можем со спокойной душою вернуться к теме измен. Много страниц я уже посвятила мужской неверности. Откуда берется, что делать, как не допустить. А ведь мы, дорогие мои, иногда даем фору им по части вероломства. Знаете, какую интересную штуку я заметила? Смотрела тут статистику поисковых запросов Яндекса по тематике измен. Так вот, «изменяет жена» запрашивают аж в два раза чаще, чем «изменяет муж». Предлагаю покопаться в наших, женских, демонах неверности. Если эта книга внезапно попала в мужские руки — привет, дорогой друг, эта глава для тебя.

Моему другу изменила жена. Первые пару дней все старательно кляли коварную и бессовестную бабу. На третий было подано заявление на развод. Далее последовала неделя загула. А потом возобладал здравый смысл, и мы сели разбираться, почему же так произошло.

Честно говоря, я категорически не разделяю мнение о том, что если мужчина изменяет, то, мол, можно понять. Типа, либо натура такая, либо жена не старается, либо просто примите как данность. Укоризненно головой все покачают, но оправдания найдут. А вот если «налево» отправилась барышня — все. Клеймо позора. Проститутка, слаба на передок, бешенство матки и прочие удивительные эпитеты.

> Женщины изменяют не реже, чем мужчины. Только вот в большинстве случаев женская измена — мера вынужденная, к которой долго и старательно подводили. Чтобы там ни говорили, для барышень процесс «засовывания друг в друга половых органов» все же связан с определенными эмоциональными переживаниями.

# Что заставляет нас искать внимание на стороне?

## Внешность

Начнем, пожалуй, с простого. Нам тоже хочется рядом с собой наблюдать ухоженного homo sapiens, а не невнятное существо в трениках и майке-алкоголичке. История «а чего париться перед своей же» работает ровно в ту же сторону, что и небритые ноги, растянутые майки и «домашние» трусики в горошек вместо кружев. Согласитесь, мы тоже обращаем внимание на то, как от мужчины пахнет, как он одет и в какие трусы решил нарядиться на романтическое рандеву.

## Скука

Ох, друзья мои, недаром говорят, если даме становится скучно, ждите «веселья». Она и проблемы придумает, и развлечение на стороне найдет. Нам тоже хочется говорить о чем-то, кроме совместного быта и проблем детей. И спорить об искусстве, и про политику немножко можно, да и просто о взглядах на жизнь. Без шуток — мне известны грустные пары, которые обсуждают исключительно «как дела — что на ужин — что было за день». Любая попытка поговорить о том, кто что думает по жизненно-философским вопросам, натыкается на стену непонимания мужчины. А нам иногда нужно порассуждать, поспорить.

## Секс

Тот, кто сочиняет истории о том, что барышням-то ЭТО не так важно и был бы член и ладно, — врун. Если мы говорим о настоящей, чувственной женщине — секс ей нужен интересный. Разный. Не можем мы постоянно самостоятельно вывозить и угадывание фантазий, и придумывание игр, и инициативу по соитию вне постели. Да, многих из нас реально заводит, когда мужчина доминирующе проявляет желание где угодно, кроме дежурной спальни, в лучшем случае уставленной свечами.

***Нам надоедает, когда все постоянно развивается по одному и тому же сценарию.*** Тут погладил, тут поцеловал, поехали. Такими темпами и через полгода-то можно от однообразия приуныть, а что уж говорить о нескольких годах совместной жизни. А еще для нас бесконечно важно понимать, что секс с нами нравится. Или не нравится, и хорошо бы в нем что-то изменить. В общем — побольше откровенности и разнообразия.

## Восхищение и преклонение

***Кстати, о «нравится».*** Подходим ко всяким тяжелым для мужского восприятия, но безмерно важным для женской логики вещам. О том, что «женщина цветок, распускающийся от слов любви», и без меня уже написано бесчисленное количество постов, статусов и аж целых книг. Посему я буду лаконичной. Мы не умеем догадываться. Как и мужчины, кстати. Только они не всегда умеют сами понимать, что надо купить букет, если она болеет, а мы —

более глобальные вещи. Женщинам нужно проговаривать все. Начиная со статуса отношений и заканчивая тем, что она — лучшая, любимая и его девочка. Барышням жизненно необходимо, чтобы ими восхищались. Вслух. Ежедневно. В конце концов, от него кусок не отвалится внешний вид или успех на работе оценить, а она целый день летать будет.

> Поверьте, от любимого завихрения бабской логики «он не говорит/не делает — значит, ему не надо» мы страдаем с полной самоотдачей. И как только в голове включается лампочка «видимо, не особо надо», начинаются поиски того, кто оценит прекрасную принцессу.

Да, кстати, женщинам действительно свойственно иногда изменять назло. Или еще того чище — чтобы разжечь былую страсть к себе. Метод весьма сомнительный, на мой взгляд, но довольно часто срабатывает. Особенно если не дошло до греха.

Немного о природе нашей влюбленности, пока мы не перешли к двум последним, «горячим», пунктам. Девочки влюбляются в действия и слова. Даже если послушать наши восторженные восклицания про объект страсти, то там можно разобрать следующее: он так на меня смотрит, он меня особенно обнимает, он вчера приехал ко мне на другой конец города, чтобы привезти варенье, он читает мне Бродского и т. д. Заметьте, ничего про недоступность, неприступность и горделивое молчание в нашем списке нет. Поэтому, если наш текущий спутник скуп на проявление чувств и эмоций, взор обратится влево.

## Слова и поступки

***Один из моих ключевых пунктов в списке must have мужского характера — ответственность за свой «базар».*** Простите за столь приземленное выражение, но зато честно. Так вот, история знает немало примеров, когда третий лишний появлялся исключительно по причине тотального расхождения слов с происходящим. Это касается как «люблю — от жены уйду», так и банальных непоменянных колес, невкрученных лампочек и прочей мелочи. Мы, конечно, научились быть самостоятельными. Но это не значит, что нужно давать эту самостоятельность проявлять.

Правило довольно простое: **понимаешь, что не сможешь или пока под вопросом — не говори ничего**. Не сотрясай воздух.

## Отрицание наших чувств и потребностей

О том, как отличить, не выносишь ли ты мозг от своих реальных и нужных «хотелок», я по шагам рассказала в прошлых главах. Поэтому в этой рассмотрим вариант, где ты — умница, а мужчина умудряется охранять свой драгоценный, чувствительный к любому воздействию и мгновенно устающий от откровенного разговора мозг даже при вполне здравых просьбах.

Сейчас мы, кстати, подойдем к финалу истории моего друга. Объясню на пальцах. Когда мы сели разбираться, выяснилось, что на протяжении полутора лет он был очень занят то своей карьерой, то депрессией, то лечением этой депрессии на тусовках и прочими важными делами. Его жена в круг почета не входила. Все это время она пыталась поговорить, рассказать, что-то там исправить, нарядившись в чулки. На что Ванька отбрыкивался той самой популярной фразой. Любому терпению приходит конец, и появился тот, у кого и на звонки с смс время находилось, и на секс, собственно, тоже.

Это я к тому, что своими порой неуклюжими попытками донести до избранника информацию о потребностях и переживаниях мы пытаемся сохранить всеобщий покой и гармонию. Их, кстати, прежде всего. Так что, перед тем как дежурно отмахнуться с «не е..и мозги», имеет смысл попробовать послушать, что там дама щебечет. Может, реально по делу.

> Как справедливо заметил муж моей подруги: «Я не очень понимаю, почему некоторые вещи нужно делать так, а не иначе, но так как первый вариант не вызывает обиды и она сразу улыбается, у меня уже срабатывает рефлекс».

***Подходя к заключению, хочу поговорить про одну из самых распространенных женских жалоб: «мне не хватает внимания».*** Тут, несомненно, есть недоработка и с нашей стороны. Большая часть девочек не умеет толком объяснить, что вообще значит «внимание» и как оно должно выражаться. Ну или стесняется, потому что «а что я к нему полезу, вдруг скажет, что мозг выношу?».

То есть мужик думает: вот я ей позвонил утром и вечером, я молодец, у нас прекрасная пара. А она всех подруг-друзей уже обегала с истерическими воплями о том, что ему ничего не надо, потому что он звонит два раза, а не три, а иногда вообще один, и в промежутках двух смс не отправит. Потом, кстати, все это выльется в неожиданную для молодого человека истерику — ты не уделяешь мне время. Будут припомнены все неподаренные букеты, забытые даты, отсутствие ласковых слов и прочее. И он искренне не будет понимать, за что ему по хребту лопатой. Ведь все же хорошо.

***Так что мой добрый совет мужчинам: не ленитесь выяснять, что она там под этим вниманием имеет в виду, а девушкам — конкретизируйте свои желания.*** Особенно это касается тех мужчин, которым повезло заполучить себе существо самостоятельное. Ибо чем сильнее и независимее девушка, тем острее ей нужна забота и тем хуже она умеет о ней просить. Вот такая непростая теорема.

А, кстати, мои друзья не развелись. Но только потому, что и одна, и вторая сторона осознали ошибки и пару лет над ними усиленно работали. Результат — один из лучших браков из всех мне известных.

Ну и финализируя, немного расскажу про свой личный опыт.

Я не люблю изменять. Правда. Слишком много энергии уходит на вранье. Еще больше — на страх. Постоянный дискомфорт и ожидание того, что тебя раскроют. Адреналиновые качели надоедают довольно быстро. И уже вроде не слезть, а сил на продолжение все меньше.

Еще я весьма хреновый конспиратор и отвратительно вру. Поэтому все мои тайные интриги довольно быстро становятся явными и переходят в страшные страдания. Обманутый мужчина горюет из-за коварства вероломной меня, я — по причине несправедливости жестокого мира. Ведь на самом деле изменяла не просто так.

По логике, сейчас я должна написать, что позволяла себе адюльтер всего лишь пару раз в жизни и мне хватило. Но нет. Изменяла почти всем своим значимым мужчинам. Мужьям, любимым, любовникам. И всегда для этого находилась железная и весомая причина. Чести мне это, разумеется, не делает и близко. И понадобилось немало времени и сил, чтобы прийти в точку, где я хорошо понимаю: если плохо так, что ты готова идти на сторону, лучше отчаливать туда окончательно и бесповоротно. И не тратить ни свое, ни чужое время. Его ведь у нас и так довольно мало.

Наверное, я никогда бы так хорошо не понимала и не чувствовала терзания, метания, стенания людей, которые изменяют и не могут принять какое-то окончательное решение, если бы не проходила все это сама и не знала бы, что за этим может стоять. Так что, как ни крути, мой опыт и разбитые сердца некоторых мужчин все же не напрасны. Вон какой отличный и полезный проект получился.

ГЛАВА 34

# О ЗАКОНЕ БУМЕРАНГА

Кому, как не мне, знать о том, как часто наши светлые и добрые люди напоминают любовницам про бумеранг. Мол, бойся, паршивая овца, в жизни все всегда возвращается.

Про этот волшебный закон мироздания мы с вами все слышали не раз и не два. Но, как это часто бывает со «сферическим конем в вакууме», видели его в деле, дай бог, единицы.

Некоторая логика в выражении «все возвращается» все же существует, но работает этот механизм совсем не потому, что мир удивительно справедлив, а по другим причинам. Каким? Сейчас расскажу на простых примерах.

**Ну, начнем с самого любимого: «разлучница потом окажется на месте обманутой жены».**

Да, так оно, скорее всего, и будет. Но не потому, что в небесной канцелярии все сосредоточенно следят за тем, кто там кого отбил и когда ему должно прилететь обратно. А потому, что, если человек в одном своем браке шел решать проблемы на стороне, то ой как высока вероятность того, что он и во втором, и даже в третьем попрется делать все то же самое. Если только, конечно, сам не заподозрит, что что-то с ним не так, и не займется разбором своих психологических внутренностей и лечением «геморроя» в том месте, где у людей обычно находится склонность к верности.

И вопрос тут не в том, что гнусная разлучница настолько грешна, что лучшие сотрудники Отдела кармы бросились ее наказывать. Намного важнее портрет, собственно, главного «виновника торжества». В эту же копилку можно отправить столь любимые выражения про «на чужом несчастье счастья не построишь», «отольются кошке мышкины слезки» и все из этой оперы. Бумеранг никуда и ниоткуда не возвращается. Он просто перешел из одних рук в другие и продолжил там делать все то же самое.

**«Ника, позвольте, а как быть с теми, кто никого не увел, с любовником расстался, а потом с другим мужчиной нарвался на его измену? Это ли не карма, не бумеранг?» — справедливо сейчас хотите спросить вы.**

Не-а, и не карма, и не бумеранг, и даже не высшая справедливость мироздания. Сознательный выбор позиции любовницы — это всегда симптом определенных личностных…

ну, скажем так, особенностей (особенно язвительные дамы со штампом в паспорте, не торопитесь на этом месте радоваться: ситуация, в которой законную супругу «возят мордой по столу», а она терпит, тоже не про ее изначальное психологическое здоровье). Собственно, от того, что роман с женатым человеком закончится, наши ментальные паршивцы никуда ведь не денутся. И с высокой долей вероятности толкнут нас опять к кому-нибудь очень сложному, недоступному, с тонкой душевной организацией и склонностью к многоугольным геометрическим фигурам в отношениях. Ибо стремление к борьбе, особенному виду страданий, невероятным ощущениям качелей, необходимость постоянно доказывать, что ты лучшая, не растворились вдруг сами по себе.

Поэтому да, действительно, риск того, что дама, роман с женатым закончившая, а с собственными тараканами — нет, попадет в ситуацию, где ей будут изменять, велик. И примеров таких полно. Но не потому, что ей вернулся какой-то бумеранг. Он, как и в прошлый раз, никуда не улетал, мирно себе сидел внутри.

То же самое, кстати, скорее всего, будет и с барышней, которая годами терпела измены и боролась, боролась, боролась за своего глупого любимку. В своем следующем романе или новом витке «спасенного брака» она рискует нарваться на очередной деструктив. Травмы — штуки коварные.

**И еще один, последний, сценарий, который ошибочно принимают за вселенскую справедливость — наказание себя.** В действии его я наблюдала у одной моей знакомой.

Какое-то время она была любовницей; отношения, мягко говоря, ее измотали, и после финального расставания (а было их за пять лет довольно много) девушка решила, что лучшим объяснением тому, почему не сложилась «любовь до гроба», станет «на чужом — не построишь». На закончившемся романе она не остановилась и пошла в своей логике дальше.

Все ее проблемы, трудности и нестыковки воспринимались как расплата за страдания жены ее бывшего любовника. На карму списывалось все. Начиная от разбитой чашки и банальных рабочих трудностей и заканчивая очередным странным мужчиной. Она, кстати, выбирала их по принципу «хоть какой-то, большего такая, как я, не заслужила».

Мироздание, нужно отдать ему должное, упорно и регулярно напоминало ей всяческими хорошими событиями, что на самом деле все нормально. Но хорошее не замечалось. Наказывала она себя с полной самоотдачей, не стесняясь в выражениях и загоняя все дальше и дальше в угол.

Логично, что чем дальше — тем хуже. И неприятностей становилось больше, и переживания по поводу них возводились в куб. С мужчинами не клеилось, так как выбирались они сразу сомнительные и бесконечные посылы на тему «я никому не нужна», «я уродина», «не достойна» считывали очень хорошо.

Со стороны, не зная ее ход мыслей, действительно могло показаться, что вот он — бумеранг в действии. На самом же деле устраивала девушка все это себе сама. Спихивать ведь на карму и бесконечную расплату действительно проще, чем на себя.

> Наша жизнь по большей части (особенно в личных отношениях) — это отражение, скажем так, души: наших собственных «черных дыр», моральных заусенцев и странных даже для нас самих потребностей. И если в какой-то момент времени наши потребности меняются, с ними изменится и круг общения, включая мужей или любовников. И с мировой справедливостью это никак не связано. А вот с трансформациями или, наоборот, ступором собственного я — очень даже.

Ну и в заключение о том, почему люди так часто пекутся о благополучии чужих и, более того, неприятных им индивидуумов, искренне стремятся предупредить их об опасности и весьма сомнительных перспективах в будущем.

**На самом деле они ведь говорят совсем о другом. Цель нетленки про бумеранг — заставить немедленно перестать пугать их своим поведением.** Ведь когда ты не особенно уверена в себе, своих отношениях, в своем мужчине, когда ты часто испытываешь страх перед гипотетической любовницей или разлучницей, лучший выход — запугать ее, напомнив о том, что за такое плохое поведение будут ататашеньки. Люди, которые пророчат вам плохое будущее, возврат слез и прочее приятное, на самом деле говорят: «Я боюсь тебя. Пожалуйста, не приходи в мою жизнь. Ведь ты хочешь быть счастливой? Вот если придешь к моему мужу — не будешь». Сказать это прямо и просто ну как-то нельзя, не принято, да и факт страха своего признавать не хочется. А если завуалировать под бумеранг, «мне вас жалко», «как грустно, что у вас нет будущего» — отличный пассивно-агрессивный способ всем все высказать.

Мир, друзья мои, несправедлив. Как хорошо говорил один замечательный дядя, любивший покопаться в чужих проблемах: «Задача сделать кого-то счастливым не входила в план сотворения мира».

Если бы в нем реально существовал закон бумеранга, то миллионы замечательных и прекрасных людей не знали бы боли, страданий, дети бы не болели страшными болезнями и не уходили в мир иной в мучениях, а верные и любящие жены не проходили бы через ад измены. Бывшие любовницы, дойдя до определенной точки самопознания, не строили бы замечательные семьи без намеков на третьих лиц. Да-да, таких примеров пруд пруди. Думаю, что ровно столько же, сколько и обратных. Как мы видим по происходящему вокруг, все работает совершенно по-другому. Так что отложите свой затрепанный упоминаниями бумеранг и не беспокойтесь о чужой судьбе. Ведь каждый раз, когда вы печетесь о ней, вы отвлекаетесь от своей собственной.

ГЛАВА 35

# ЖЕНА VS ЛЮБОВНИЦА, ИЛИ ИСТИННАЯ ПРИРОДА ИЗМЕНЫ

Споры о том, кто лучшее, любимее, нужнее — жена или любовница — стали уже своеобразной нетленкой. Союзники той или иной стороны приводят аргументированные доводы, горячо отстаивают свою позицию и все пытаются докопаться до истины: кто же все же виноват и не доработал. Жена, допустившая какие-либо ошибки и отправившая свой брак под откос, или бессовестная стерва-вертихвостка, которая в нужный момент взяла быка за рога или кота, ну вы поняли, за что.

Сами же участницы любовных треугольников упражняются в остроумии, колкостях и пытаются обогнать друг друга на разных дистанциях гонки за «суперприз».

Несомненно, все те вещи о которых я писала в прошлых главах, рассматривая причины измен и сложностей в отношениях, очень и очень важны и помогают избегать всякого рода проблем. Иначе, стала бы я тут вообще распинаться. Но. Они ровным счетом ничего не гарантируют, если рядом с вами находится человек, который сам по природе своей склонен изменять и решать личностные проблемы путем затаскивания в них других.

Действительно, есть две категории людей. Одни решают проблемы внутри отношений, другие — идут за третьим человеком, надеясь найти в нем компенсацию, отдушину, временное или постоянное болеутоляющее.

Меня ой как часто спрашивают: как я считаю, существуют ли мужчины, которые не изменяют? Я не считаю, я знаю. Вполне себе живут и здравствуют. Замечательно себя чувствуют, нужно сказать. Один из них — муж моей близкой подруги. Откуда нам достоверно известно, что Макс ведет приличный образ жизни? А мы знаем, как он разводился с предыдущей женой.

Поняв, что отношения себя уже изжили, а затем еще и ощутив притяжение к Сашке, с которой они тогда просто дружили, он сначала объявил о разводе. Затем выдержал череду истерик, страданий, попыток его вернуть. Переехал, и лишь подав документы на официальное расторжение брака, пошел к Александре с вопросом, не желает ли она с ним пройти в закат. Хотя, мог бы ведь действовать совершенно по-другому: сначала посмотреть, что там и как, а уже потом предпринимать какие-то шаги.

В этот раз у меня хорошие новости для нашего мира: таких, как Максим, много. Чем руководствуются эти люди? Говорить за всех я, конечно, не могу. Но кое-что все же выяснила.

Еще один мой знакомый, который сейчас разводится с женой, на вопрос: почему именно такое решение, а не пойти сначала поискать разнообразие на стороне, очень серьезно сказал: «Понимаешь, Ник, я прожил с ней десять лет. Довольно разных в плане счастья. Но я честно был с ней, а она честно была со мной. Да, у нас последние годы все шло, мягко говоря, не гладко. И с сексом, и со взаимопониманием. И притащи я в это все еще одного человека, как бы я поступил по отношению к этому отрезку моей жизни? Испоганил бы все враньем, предательством? Зачем? И без того ясно, что все у меня остыло, лучше не будет, смысл этих шаманских плясок с бубном?»

> *Уважение к себе, своему выбору, своему времени и своему партнеру — вот то, что останавливает моего знакомого и еще многих других людей от адюльтера. Есть такая хорошая пословица — не плюй в колодец, из которого пьешь. Измена — это всегда грязь, ложь, унижение и боль.*

В рамках одного из своих проектов я брала очень подробные, прямо скажем, с выворачиванием наизнанку, интервью у мужчин, которые изменяют. Все истории были разными. Кто-то чисто ради секса, кто-то потому, что жена затюкала, кто-то уже ушел, кто-то еще в треугольнике.

Так вот. Заметила я интересную взаимосвязь. Все мои визави оказались сплошь травмированными. Кто чем. У кого-то предательство в первых серьезных отношениях и, как следствие, избегание полноценной близости. Кого-то мама недолюбила, и он теперь мечется в поисках, чем и кем заткнуть эту дыру. Кого-то, наоборот, задавили гиперопекой, и он боится потерять столь долгожданную самостоятельность. **Итог один — эти люди не умеют, не могут, не хотят решать проблемы взаимоотношений внутри них.** По ряду причин, у каждого она будет своя, они не в состоянии разбираться, искать компромиссы, признаваться в своих ошибках или вовремя отпускать ситуации и людей.

Как ни печально, но у большинства из них на первом месте стоит не очень здоровый эгоизм. Тут важно понимать, что эгоизм эгоизму рознь. Его правильную, безопасную разновидность я сама всячески поддерживаю и пропагандирую. Но, когда интересы одного человека с завидным постоянством приносят страдания другим людям и он ничего с этим не делает — это уже немного про другое. Понятно, что не от замечательной жизни и не без каких-либо предпосылок в детстве или периоде своего становления эти люди стали такими. Мы все знаем, что даже за самыми жестокими и ужасными персонами стояли какие-то потрясения из их прошлого.

Разумеется, что сложности характера и личности никак не могут служить полноценным оправданием тому, что многие товарищи годами не могут (а кто-то даже и не пытается) определиться, где им быть. Не к тому я это рассказала. К чему же?

Возвращаясь к теме главы. Собственно, для чего под эгидой вечной борьбы официальных супружниц и потусторонних дам я тут развела рассуждения о разных категориях мужчин. Дабы наглядно показать, что **на самом деле соперник и у обманутой жены, и у ждущей любовницы — один. И это — их общий мужик.** Какой бы ужасной ни была одна, и какой распрекрасной ни явилась бы другая, если бы он со своими черными дырами, травмами и комплексами не принял решение организовать себе такой кружок по интересам, они бы никогда и не встретились в одной лодке.

Наверное, это то, самое важное, что следует помнить и понимать. Виновник ваших стенаний, оказывается, совсем-совсем близко. И уж дальше смотри сама. Вот он такой, какой есть. Станет ли он другим, пойдет ли и разберется со своими тараканами — зависит только от него и его желаний, влиять на которые, как мы уже поняли, невозможно. У него есть право жить так, как он хочет. Мучиться, страдать, переживать сто разных перипетий. Если ему вперлось проводить свое время именно так — оставь ему эту возможность. Коль ты действительно любишь его так сильно, как декларируешь, то, собственно, первая и святая твоя обязанность — это право ему оставить. Никоим образом не пытаясь манипуляциями, женскими хитростями и прочей лабудой склонить его к «нормальной» жизни.

Что делать тебе? Использовать ровно такое же право. Нравится ездить на велосипеде, который горит, и вокруг все горит, и сама в огне — катайся сколько влезет, принимай свое солнышко в оконце со всем этим боекомплектом, если это возможно, без лоботомии или регулярного приема успокоительных. Не нравится, не можешь, не для тебя эта история — вперед, в светлое будущее.

# ГЛАВА 36

# ПРО ЛЮБОВЬ К СЕБЕ

Закончить эту книгу я хотела бы очень важной, на мой взгляд, главой. Ибо, как никто другой, знаю, сколько проблем в жизни можно заиметь, если неправильно трактовать постулат о любви к себе.

Люби себя! Люби, люби скорее! Ты что, с ума сошла, ты вообще себя не любишь? Начни любить себя, и мир будет у твоих ног! Люби себя, чтобы…

Кроваво-красными мигающими буквами горит в нашем мозгу надпись с этим мотивирующим лозунгом, а все кругом ревностно следят за ее яркостью. И стоит только одной лампочке выйти из строя, как тебе быстро со всех сторон напомнят о том, что с этим нужно что-то делать.

На истории «научим тебя любить себя» сколотили состояние немало предприимчивых чуваков. Вереница желающих получить в свои руки бразды правления миром и другими людьми не иссякнет, думаю, никогда. А так как формула «если ты любишь себя, тебя любят и другие» плотно вбита в сознание, дружные ряды идут и идут постигать секреты этого искусства. В одно место, в другое, от одной книги к другой, от второго гуру к третьему. И вот ведь парадокс: делают они все это исключительно ради того, чтобы получить любовь других. То есть извне.

**Интересная получается формула: я хочу любить себя, чтобы меня любили другие, ведь без них я себя любить не смогу.** Бесконечный замкнутый круг и вечная белка в колесе, которая на последнем издыхании пытается догнать этот мифический чудесный орех.

На лозунге «люби себя, чтобы...» подрастает уже второе, если не третье, поколение эмоциональных калек. Эти люди всю свою жизнь посвящают тому, чтобы через что-то внешнее получить внутреннюю гармонию. Мы убиваемся на работе, дабы стать успешными. Нам кажется, что, если мы будем востребованными, то пустота внутри мгновенно заполнится. Не могут же карьеристы, интересные, богатые в денежном и человеческом эквивалентах, люди быть несчастными и не любить себя? Вот-вот, буквально еще чуть-чуть, еще одна высота — и все, я буду смотреть на себя и думать «я — крута». И все верно. Будешь. Только связано ли это с любовью?

Мы гонимся за популярностью, даже в тех же самых социальных сетях. Больше, больше подписчиков, лайков, больше горячих фото и острых тем. Ведь тогда на меня обратят внимание, а если это будет так, то я начну себя любить. Мы ведем бесчисленные блоги, выставляем напоказ лучшие моменты, рисуем определенный образ, который должен сделать нас интереснее, лучше, привлекательнее в глазах других. Постим правильные цитатки о любви к себе и мотивации. И думаем, что так наша цена на рынке чувств станет выше.

Мы готовы голодать, «сушиться», тренироваться до изнеможения, лишь бы понравиться другим и получить через них одобрение на эту пресловутую любовь к себе. Наши бочка, может, и нравятся нам самим, но стоит только кому-то сказать «фу», как от «любви к себе» не остается и крошки. И включается режим «ран, Вася, ран». Выползая, иногда в буквальном смысле, из спортзала и поглощая очередную пресную куриную грудку, мы утешаем себя мыслью, что «вот сейчас похудею, буду нравиться себе, а значит, и другим». И, бац, опять не работает. Вроде и нравлюсь всем, но любви и спокойствия что-то не прибавляется.

Мы судорожно создаем семьи и рожаем детей. Потому что «надо», «пора», потому что «стакан воды» и «вдруг меня уже никто не полюбит». И посвящаем безумное количество времени и энергии работе с собой, лишь бы этот кто-то, кто рядом с нами, нас любил, не смотрел на сторону, не думал уйти. Мы готовы ходить по курсам, проделывать над собой бесконечное количество экспериментов, как моральных, так и физических, разбирать себя на куски и наступать на горло собственной песне, лишь бы полюбить уже себя. Чтобы нас полюбили другие. Лишь бы не остаться в одиночестве. Ведь тогда вся «любовь к себе» рассыпается, как стеклышки в калейдоскопе.

**А давайте вспомним, как мы любим кого-то другого.** Ведь мы делаем это совсем по-другому. Мы просто любим и не обращаем внимания на то, что он, может, и высот-то каких-то особенных не достиг, и вместо пресса идеального у него милые округлости. Прощаем плохое настроение, да что там плохое настроение, многочисленные косяки разной степени тяжести мы легко списываем, говоря: «А я все равно его люблю, хоть какого».

Давайте вспомним, как мы ведем себя, когда наш любимый приходит не на коне, а получив очередной удар или просто мелкое разочарование. Мы говорим ему, что нам все равно, что там устроил жестокий мир и что из этой схватки любимый не вышел победителем. Мы все равно его любим и восхищаемся им. И ведь правда любим, не врем. Еще и обидчиков готовы на куски порвать. Мы не гоним его немедленно заняться любовью к себе. Мы даем ему свою. Просто так. Безусловно.

Стоит же нам самим натворить дел или где-то не достигнуть цели и заданной высоты, или вдруг в отношениях опять не получилось, как мы обрушиваем на собственную голову лавину из упреков, пинков и устраиваем целую моральную порку. И тут же начинаем самоедствовать: «Ну вот, просто не люблю себя, вот и результат». С чего бы тут любить-то?

**Получается, что гиблое дело — любить себя ради того, чтобы получить что-то от других.** Не работает схема. Можно стать самоуверенной, яркой, востребованной и успешной и безумно нравиться себе в те моменты, когда стоишь среди других и блещешь знаниями, и стреляешь глазами, как истинная женщина-вамп. Но стоит только внешнему миру переместить фокус внимания в другое место, как ты остаешься наедине с собой, и оказывается, что вам вдвоем совершенно не круто вместе. И это действительно плохо. Ибо, в отличие от всего остального населения земного шара, именно с этой особью придется прожить всю жизнь. Да и эффекта желаемого не будет. Потому что фальшиво. А фальшь люди хорошо чувствуют.

Моя собственная, длинная и мучительная, борьба с собой, миром и его несправедливостью в итоге привела меня в точку, где я приняла решение, что любовь к себе начинается с понимания себя. Того, какая ты и что у тебя внутри. Хорошее, плохое, особенное. Ведь довольно непросто полюбить всем сердцем человека, которого и не знаешь. А затем можно перейти к принятию всего этого набора. Нет ведь на свете идеальных людей, которые во всем хороши. Это невозможно. Как и нет людей, у которых нет потребностей. А наши потребности, как и наших любимых, важны, хорошо бы понимать их и уметь удовлетворять. Мы ведь отлично умеем баловать наших близких. А себе почему-то чаще всего говорим: «Иди уже, поработай с собой».

Любовь к себе — это про умение дружить с самим собой. Как говорит мой психотерапевт, иметь внутри место, на которое можно опереться. И даже если вся мишура вокруг рассыплется и вдруг не станет карьеры, поклонников, мужчин, не дай боже, семьи, именно это внутреннее «я» поможет удержаться на плаву и продолжить любить себя даже в условиях полного вакуума. Это очень простой тест: представьте себе, что вокруг вас никого и ничего нет. Только вы. Как вы? Какой вы? Нравитесь себе? Если все плохо, страшно и ужасно, то, значит, вы успешно подменили понятие «любовь к себе» самоуверенностью, самооценкой, самолюбованием. И, скорее всего, вы находитесь в погоне за любовью других.

Всем добра. И… До новых встреч. Ведь свою историю и, главное, ее финал я вам пока не рассказала.

**18+**

---

*Издание для досуга*

**Ника Набокова**

**#В ПОСТЕЛИ С ТВОИМ МУЖЕМ.**

**Записки любовницы. Женам читать обязательно!**

Подписано в печать 22.01.2018. Формат 60×90 1/16. Печать офсетная.
Усл. печ. л. 18,0. Доп. тираж 15 000 экз. Заказ № Е-204.

Общероссийский классификатор продукции ОК-005-93,
том 2–953000, книги, брошюры.

ООО «Издательство АСТ»

129085, г. Москва, Звездный бульвар, д. 21, стр. 1, комн. 39

Отпечатано в типографии филиала
АО «ТАТМЕДИА» «ПИК «Идел-Пресс».
420066, г. Казань, ул. Декабристов, 2.

Макет подготовлен редакцией